El Príncipe de los Mendigos

NOVELA TESTIMONIAL

El Príncipe de los Mendigos

GUILLERMO DESCALZI

NOVELA TESTIMONIAL

grijalbo

EL PRÍNCIPE DE LOS MENDIGOS
Novela testimonial

© 2000, Guillermo Descalzi

D.R. © 2000 por EDITORIAL GRIJALBO, S.A. de C.V.
(Grijalbo Mondadori)
Homero núm. 544,
Chapultepec Morales, 11570
Miguel Hidalgo, México, D.F.

Este libro no puede ser reproducido,
total o parcialmente,
sin autorización escrita del editor.

ISBN 970-05-1183-9

IMPRESO EN MÉXICO

*A
Enrique Gratas,
Malule González.*

A friend in need is a friend in deed.

1

En todo rincón conocido, del uno al otro confín, era yo el "Príncipe", como en la obra de Mark Twain, *Príncipe y mendigo*. Yo era el príncipe de los mendigos.

Recuerdo haber leído en numerosas novelas del ayer referencias al "rey de los mendigos", "reyes" en la cúspide de una pirámide mendicante que asolaba a pueblos y ciudades en la antigüedad.

Yo era el Príncipe. Otros me llamaban "don" Guillermo, "G", "papi", etc. Fueron muchos de los nombres por los cuales se me conoció en mi vida menesterosa, nombres que algo querían decir.

"Don" Guillermo, por ejemplo... era darme un respeto que los mendigos de Washington, la "capital del mundo", la Roma de hoy, necesitaban darse a ellos mismos. Dándome a mí ese respeto se lo daban también a ellos mismos.

Yo era el "Príncipe"... su príncipe. Todo un personaje había descendido sobre ellos en mi persona y los había así elevado por encima del nivel de la calle. Es que en mi vida yo me había codeado con los ricos y poderosos del mundo. El que ahora fuese un mendigo más —como ellos— quería decir que mediante mi persona ellos también —los demás mendigos de la ciudad— tenían un vínculo abierto al mundo de la riqueza y del poder. Un contraste, riqueza-mendicidad, poder-indigencia, que se conjugaba en mi persona...

Vivía en la calle ahora, pero ayer... ayer... tan sólo ayer... recuerdos... de otros tiempos, de los bellos momentos que antaño disfruté...

Era 1994 y acababa de desembarcar de un vuelo que inicié años atrás.

En 1975, presa de un agudo ataque de inseguridad y depresión, en las garras de un descontento tan atroz que permeaba mi vida entera, me alejé de mi nativo Perú. Lo hice porque tenía que alejarme de mi descontento, de la amargura de mi ser... de una amargura tan vasta y tan profunda que ni siquiera me daba cuenta de su existencia. En el fondo, lo que intenté hacer saliendo del Perú fue alejarme de mí mismo... pero no lo entendí así en ese momento. Es porque no pensaba que el descontento del que huía estuviese en mí. Pensaba que era algo que me venía de afuera...

Mi descontento y amargura se manifestaban en un bamboleo de mi vida y en el temblar casi constante de mi ser... Era como si fuese una rueda mal balanceada, y para corregir ese defecto yo corría, corría, tratando de encontrar una velocidad óptima en la que cesara el bamboleo. Temblaba en mi rodar y creía que mi temblor... quizás si corriese yo a la suficiente velocidad, y me fuese también a rodar sobre otra superficie... quizás entonces desaparecería el temblor...

Así pues, corrí hacia Estados Unidos en busca de algo, de alguna superficie que me permitiese rodar sobre ella en paz y serenidad, sin el temblor ese constante que me acompañó desde muy temprano en la vida.

Había algo básico de lo que era totalmente ignorante: que mi descontento provenía de raíz interior, que provenía de lo profundo de mí. Yo pensaba que rodaba mal porque el camino estaba mal. Padecía de esa ceguera propia de todo ser humano que se quedó en su niñez emocional, cuando uno se ve, se cree, se siente a sí mismo como centro y eje vital de toda la vida, de toda la existencia. Flotaba en medio de un mar de descontento tan inmenso que no podía concebir que éste emanase de mí...

No, la raíz de mi descontento... ¡no podía estar en mí! Yo, el eje central, no podía ser el defectuoso. Lo defectuoso era —tenía que ser— todo lo que me rodeaba. La raíz de mi desubicación no podía estar en mí, tenía que estar en lo demás —en todo lo demás—. Mi desubicación era tan grande que el problema *tenía* que estar fuera de mí, en todo lo demás... en todo lo que no era yo, en mi alrededor.

Fue así que creí ver la solución en mi fuga a Estados Unidos, buscando un camino y una velocidad que me permitiesen rodar... sin los bamboleos y temblores de rueda mal balanceada que me habían asolado desde temprana edad. Y lo hice. Emprendí una fuga a tal velocidad, a tal velocidad, que casi parecí encontrar la estabilidad deseada. ¡Ah, qué engaño!

Cuando finalmente encontré la estabilidad fue muchísimo después, cuando cayó de mis ojos la venda de mi ceguera y llegué a darme cuenta de que la raíz de mi descontento estaba en mí, en el eje mismo de mi vida. ¡Qué difícil me fue llegar a esa primera verdad! Fue casi a pesar de todos mis esfuerzos por ignorarla...

Mientras tanto... Mientras tanto buscaba estabilidad dándole velocidad a mi vida... Es decir, desarrollé en mí el modelo "bicicleta" de la vida: empecé a vivirla como si el equilibrio se encontrase a velocidad.

Llegué a San Francisco, California, en abril de 1975. Me monté rápido sobre lo que probaría ser una bicicleta de carrera: un estudio de televisión. Me desempeñaría —a toda velocidad— como aprendiz de periodista en un lugar al que llegué quizás por una de esas casualidades... inevitables...

Casualidad inevitable: creo en el destino en el sentido en que creo en una misión ordenada para todos y cada uno de nosotros:

Para cada flor hizo un rayo de luz el sol
Y un día nuevo Dios.

Quizás la casualidad sea inevitable. Quizás. Quizás como seres humanos sencillamente carezcamos de la sabiduría, de la profundidad de visión y del conocimiento de causa suficientes para darnos cuenta de la concadenación con que se produce lo de otro modo aparentemente casual... pero en fin, en ese tiempo no me preocupaba para nada el tema de los parámetros de la libertad humana...

Para mí KDTV —canal 60—, en el que empecé en San Francisco, fue... una casualidad con la que me tropecé. Pero si casualidad fue, fue casualidad de la diosa fortuna. Estoy convencido ahora que ése fue quizás el único lugar en el que pude haberme ubicado: y allí caí yo. Jovencito, pollito corriendo con temor a perder el cuello en una caída, llegué así hasta un huequito al que casi nadie quería ir, y allí me metí: de aprendiz en una estación de televisión tan pero tan baja en la escala profesional local que prácticamente no hubo quién compitiese conmigo por el empleo... Y tan pronto me monté sobre ese empleo me puse a pedalear... a gran velocidad, en busca del equilibrio perdido.

Es así que, pedaleando, pedaleando, me encontré un día de 1978 a bordo de un avión de Taca, rumbo a Managua, Nicaragua.

***

Los sandinistas, al mando del entonces oscuro guerrillero Edén Pastora, habían tomado el palacio de gobierno de su país y mantenían cautivos en su interior a casi la totalidad de legisladores de Nicaragua. Pastora, con el sobrenombre de "Comandante cero", y su lugarteniente, Dora María Téllez, "Comandante uno", exigían a cambio de la liberación de los rehenes que el general Anastasio Somoza liberase a los sandinistas que el Estado nicaragüense mantenía prisioneros en la cárcel "modelo" de Tipitapa. Entre ellos estaba el futuro comandante de la revolución y ministro del Interior del gobierno sandinista, Tomás Borge.

Cuando los sandinistas tomaron el palacio en Managua, mi trabajo para KDTV en San Francisco ya me había llevado hasta el nivel de periodista propiamente dicho. KDTV era en ese entonces una estacioncilla más del naciente grupo de la Spanish International Network, la futura Univisión. La estación era fuente de constantes dolores de cabeza para los directores de la cadena.

Se suponía primeramente que no hiciésemos nada o casi nada. Que nos limitáramos a transmitir el material que nos mandaba la gran cadena Televisa desde México, para la cual éramos prácticamente una retransmisora. Nuestra actividad local se suponía que se limitara al mínimo necesario para satisfacer los requisitos de servicio público mandados por la ley... porque, primero, no había dinero para gastar, y, segundo, ni los frágiles egos de SIN ni aquellos de Televisa aguantaban desafío alguno a su propio brillo... Se suponía pues que respetásemos a los ídolos, que nuestra creatividad se limitase a un noticiero local de mínimas proporciones y a un programa de interés público, "En la Bahía"... Pero éramos iconoclastas... e íbamos a toda velocidad, a pesar de los mínimos recursos con que producíamos nuestros dos humildes programas... Nuestras cámaras "Akai" de $^1/_4$ de pulgada ni siquiera pasarían los requisitos mínimos de una videograbadora casera del día de hoy.

...Pero los genios de México, Nueva York y Los Ángeles que nos controlaban, afortunada o desafortunadamente para ellos, no contaron con el esquema "bicicleta" del personal que acababan de contratar, un personal que aparentemente podía encontrar equilibrio sólo a velocidad. Decir que el personal era inquieto es pecar de moderación... Era huracanado, y en ese huracán... fructifiqué.

Mi director de noticias era el señor Enrique Gratas, que luego, como director del programa "Ocurrió Así" de la cadena Telemundo, me acogería por segunda vez cuando, al fin de la batalla, volviese yo de la calle —el príncipe de los mendigos—, con los ojos por fin sin venda y por fin sin el bamboleo de la cuesta abajo de mi rodada. Era un señor, Gratas, que era otro campeón del modelo bicicleta de la vida: dirigía su noticiero como si estuviéramos en el Tour de Francia... Y eso cuando lo que dirigía no era más que el noticiero de una humilde estación en lo más delgado de la banda de frecuencias de UHF, y para remate, en idioma español... en un estado, California, donde todo lo relacionado al idioma español era visto con gran recelo y caía inmediatamente

13

bajo la "acusación" de mexicanismo. Ese Enrique era un guapo de la vida en bicicleta y —sí—, él trabajaba como si estuviéramos metidos en la Vuelta a Francia y no en el oscuro depósito que SIN había alquilado para nosotros en la calle Palou del barrio industrial de la ciudad, con camaritas tan poco profesionales que se necesitaba gente con verdaderos huracanes en su espíritu para mostrarnos con ellas ante los demás sin darnos cuenta del efecto que producían entre los señores de la prensa establecida... Cara dura teníamos, sin saberlo, por ignorancia. ¿Quién dice que no hay virtud en la ignorancia? Nos permitió desarrollarnos... a pesar. A pesar, en mi caso, de la procesión que llevaba por dentro.

Cuando en 1977 Enrique se fue a Los Ángeles heredé su puesto, como heredaría después su sitio en "Ocurrió Así". Como siempre, me quemaban los pies... Tenía que andar a la carrera para poder aguantarme a mí mismo. Lo malo —lo peor— es que yo no sabía que ésa era la razón por la que estaba siempre corriendo. Pensaba que corría... porque así era yo... "veloz". El hecho es que me montaba sobre cualquier vehículo, con tal de que tuviese suficiente velocidad, y los sandinistas me proporcionaron uno inmejorable cuando en 1978 iniciaron su "guerra popular prolongada".

Mi cobertura de sus guerras fue mi primera gran vuelta en bicicleta... No bien habían ellos tomado palacio que yo, en violación de los edictos de la cadena, me encontraba en un vuelo de itinerario de Taca rumbo a Managua.

San Francisco, siempre fiel a su carácter rebelde y *avant-garde*, era cuna de "su" propia rebelión... "sandinista". El poeta nicaragüense Roberto Vargas, "Quique" fue su *mom-de-guerre*, había dirigido en el transcurso de los últimos años constantes y coloridas manifestaciones en los pasillos del edificio que albergaba al consulado nicaragüense en la calle Market. Todo era de buen humor. Hubo numerosas "tomas" del consulado y la policía de San Francisco, en atención al carácter casi "literario" de estas "tomas", solía dejar en libertad a los responsables después de efectuar arrestos proforma. El oficialismo de San Francisco, después de todo, rindió siempre pleitesía al dios del liberalismo... y tanto Tacho Somoza como el Sha de Irán eran, por su lejanía, anti-Cristos del liberalismo fáciles de atacar sin que el oficialismo local tuviese que sufrir las consecuencias. Atacarlos no perjudicaba a la derecha reaccionaria, oculta tras la fachada liberal de la ciudad, y la ciudad... la ciudad contaba con una numerosa colonia nicaragüense. Eran los años en los que ser antisomocista era casi de rigor , y ni el mismo sheriff de San Francisco, Richard Hongisto, ni el jefe de policía, Charles Gaine, ni tampoco el alcalde de la ciudad, George Moscone, querían antagonizar ni al electorado hispano ni a la "izquierda liberal" que siempre fue mayoría en esa ciudad desde que se inició como frontera social, importando prostitutas de Chile en la época de la fiebre del oro, allá por los mil ochocientos cuarenta. Joaquín Murrieta, un célebre hispano-san franciscano de la época, fue uno de los primeros héroes de ese liberalismo que luego vería desfilar por sus calles a la revolución de las flores y del hippismo, a la revolución sexual y al poderío gay... y en medio de ellas la actividad sandinista era casi —cómo decirlo—... casi inocente...

Empecé cubriendo las múltiples tomas del consulado. "Quique" y sus compañeros se barricaban detrás de las puertas de vidrio y madera del consulado y a través de ellas nos daban coloridas entrevistas que nos apresurábamos a mostrar a la colonia de aproximadamente 40 mil nicaragüenses que en ese entonces habitaba San Francisco... y como nadie más lo hacía, la colonia empezó lenta pero seguramente a sintonizar en cada vez mayores números el noticiero de la "Telesesenta". No nos preocupaba que nadie compitiera con nosotros en nuestra carrera de bicicletas, que no hubiesen otros periodistas cubriendo los mismos eventos que nosotros cubríamos. Ni siquiera nos dábamos cuenta de ello. Además, corríamos porque... nos ardían los pies.

Cuando los sandinistas capturaron a los legisladores en Managua, habíamos ya adquirido una humilde y ahora prehistórica camarita Sony de un solo tubo. Y con un joven camarógrafo chileno, Julio

Moline, y con las bendiciones de nuestro gerente local, Robert Muñoz (otro bicicletero), pero a escondidas de la gerencia de Nueva York, salimos de San Francisco a Nueva Orleáns y abordamos allí el vuelo de itinerario de Taca rumbo a Managua, vía Tegucigalpa.

En los asientos delante del mío se sentaron dos mujeres algo extrañas. Eran jóvenes, bastante jóvenes. Lo extraño es que una de ellas tenía el cuello bastante grueso, y a pesar de sus senos abultados, a donde se le desviaba la vista a uno era hacia un tremendo forúnculo que tenía en el cuello. Perdido estaba yo entre sus inmensidades y su forúnculo cuando en el altoparlante de a bordo anunciaron que —ante la crisis vivida en su país— el general Anastasio Somoza Debayle acababa de cerrar el espacio aéreo nicaragüense. La última parada del vuelo sería pues... Tegucigalpa. Todos teníamos que desembarcar allí.

Al descender el avión en Tocontín, el aeropuerto de Tegucigalpa, ocurrió algo muy extraño. Por un momento me pareció que habíamos cruzado la barrera del tiempo y que el que descendía era Charles Lindbergh en París tras su primer vuelo transatlántico. Es que el aeropuerto entero de Tegucigalpa estaba tan lleno de gente que ésta se rebalsaba hasta la pista de aterrizaje y al llegar nosotros la multitud corrió hacia el avión. Lindbergh, me dije yo, Lindbergh... así debe haber sido lo que le pasó a él... Era como si la mayoría de la población de Tegucigalpa se hubiese volcado sobre el aeropuerto. Caras curiosas con ojos saltones, sudor de circo humano, grititos de emoción, ¡pero no sabía por qué! Era, para gran sorpresa mía, por la mujer sentada delante de mí, aquella de los grandes senos y del inmenso forúnculo.

Era la antesala de lo que sería una cruel y prolongada guerra centroamericana que tocaría de manera muy especial a Nicaragua, El Salvador y Guatemala, pero también a Honduras y a Costa Rica... Así, todo lo que ese día preocupaba a los catrachos —así se les llama a los hondureños— era no lo que ocurría en la vecina Nicaragua, sino más bien lo que sucedía allí, en ese aeropuerto, en ese momento: era la llegada de la primera transexual hondureña, Sigfrida —o Sigfrido— Shantall, un dentista que volvía al

16

país luego de su operación. Y Honduras respondió con una curiosidad que me trajo de inmediato a la mente una de las películas de ese director italiano, Federico Fellini, cuando en *Satiricón* una multitud de la antigua Roma se abalanza sobre un hermafrodita para saciar su curiosidad... La de esa multitud en Tegucigalpa era así, una curiosidad sobrecogedora, cruda, casi animal.

Ése era el espectáculo que presentaba Tegucigalpa en ese momento, en la antesala de las guerras centroamericanas: la bienvenida surrealista tributada a ese singular ser, la doctora Shantall.

Volví a ver a la Shantall —así la llamaban— exactamente Veinte años después... así, como en el título de la novela esa de Alejandro Dumas, cuando D'artagnan se reencuentra con Athos, Porthos y Aramís y contempla los cambios acaecidos en ellos. Veinte años después el mismo afán de contemplación me llevó a mí a buscar a la doctora Shantall en su pueblo de Catacamas en el departamento de Olancho, en donde se había afincado desde su regreso.

Fui a Catacamas, en busca de Sigfrida, con una gran curiosidad. A mí me había costado tanto atravesar por esos veinte años... como habría sido para ella. ¿Habría logrado lo que quería, cambiar su ser? Porque eso es lo que yo había querido hacer también: cambiar mi ser, por eso corría, corría —sin saberlo— de mí mismo. En mi caso personal me di cuenta que correr de mí fue un gran error... pero de eso me di cuenta casi a pesar mío. Cuando llegué a darme cuenta vi con toda claridad que es imposible para cualquiera dejarse atrás a sí mismo; que lo único que yo estaba haciendo era crear un monigote, una ficción de ser, un fantoche en sustitución de mi ser real... un monigote que se alimentaba de todo lo que podía... tabaco, alcohol, drogas, fama, poder, posición, posesiones, etc., en un intento desesperado por darse "realidad", algo imposible. En mi caso resultó imposible hacerlo. La carrera fuera de mí mismo no fue más que un desenfrenado escape de una realidad en la que no lograba mantener el equilibrio. Al final tuve que dar marcha atrás y, corriendo también, volver para encontrarme.

17

¿Cómo habría sido con la Shantall? Después de todo, la carrera fuera de su ser había sido más extrema que la mía. Había llegado ella a alterar su cuerpo físico en busca de afirmar un nuevo ser dentro de sí... ¿Lo habría logrado? ¿Habría logrado primeramente ser real, habría logrado un ser real? Ésa es la pregunta que me formulé cuando fui a visitarla... porque si el ser que muestras al mundo no es real, entonces nada de lo que muestre ese ser va a contener realidad. Imposible. Un vaso poroso no contiene agua... pero si así era la Shantall, un vaso poroso, volver a depositar su ser en su vaso anterior no le sería tan sencillo como a mí... después de todo, había tomado un paso irrevocable... había cambiado de sexo. Comprenderán la curiosidad que sentía.

Catacamas, en la localidad de Olancho, es cuna del machismo en Honduras. Los hombres caminan por allí llevando su machete en la mano o colgado sobre el hombro. Eso es lo común. Es frecuente que las peleas se resuelvan a machetazos. Olancho tiene fama de eso. Y hasta allí había vuelto Sigfrida. Era un punto a su favor. Su casa era la mejor del pueblo. Dentista de profesión, su dinero lo seguía poniendo en lo que lo había puesto desde antes de su operación: en mostrar una buena fachada. Vivía con una empleada, una muchacha delgadita a la que mantenía en la relación tradicional de señora-a-sirvienta de las clases adineradas de la América Latina. Nos hizo esperar y finalmente bajó las escaleras de su casa como gran dama. Era la representación viva de Vivien Leigh cuando baja las escaleras de Tara para encontrarse con Clark Gable en *Lo que el viento se llevó*... Gran Dama. Su vida se había convertido en un acto cuidadosamente orquestado para consumo público. Pero para ella, para adentro, ¿cómo sería para ella la digestión de su propia vida?... Sería un trago amargo, un trago dulce, ¿qué sabor tendría?

"Consigo lo que quiero —me dijo—, no le pido nada a nadie, nunca le doy un centavo a nadie, he tenido más hombres de los que pueda recordar." Tenía la cara llena de maquillaje, pero no lograba ocultar completamente la barba que luchaba por salir por los poros de su rostro. Su último marido se había suicidado.

18

Nos atendió con amabilidad. Nos mostró su casa. Su fachada era ella. Ella era su fachada. Nos despedimos sin que nos mostrara otro interior que el de su fachada... sospecho que ella misma no llegó a conocer su interior, y si lo conoció vivió aterrada de él. No había, después de todo, logrado salir del clóset. Dos meses después la mataron, a ella y a su empleadita, a cuchilladas, en su casa. El crimen permanece en la oscuridad. Pero ya desde antes de su muerte había llegado yo a la conclusión de que lo que vivía en ella no era la realidad... De que se había perdido, que no podía lograr el reencuentro consigo misma y que lo único que hacía era pretender... pretender que había encontrado su sitial en la vida. Pero eso sería... veinte años después. El día ese de mi primer arribo a Tocontín yo ni sospechaba que la Shantall y yo estuviéramos embarcados en la misma carrera: una en la que la dirección del movimiento era hacia afuera de uno mismo.

***

Así fue mi llegada a tierras centroamericanas en los albores de las guerras sandinistas, en un ambiente de circo que ocultaba el hedor de la sangre que ya corría a raudales en las montañas. Allí, en las montañas, reverberaban gritos de...

EN LA MONTAÑA ENTERRAREEEMOOS

Y venía la contestación...

EL CORAZOOÓN DEL ENEMIIIGOO.

Pero a Tegucigalpa no llegaba eso. Allí lo que había era pan y circo para el pueblo. En fin, ese pan y ese circo, el de la Shantall en Tocontín, no eran el objetivo de mi trabajo. Mi misión imposible en ese momento: llegar a Managua, y llegar allí antes de que se diese un desenlace a la crisis provocada por los sandinistas, antes de que ellos se saliesen con la suya o antes de que Somoza los hiciese matar. Estar allí para cubrir lo que pasara, ése era mi norte, y me faltaba mucho por pedalear antes de llegar a él. Después de todo se había cerrado el espacio aéreo sobre Nicaragua y quizás eso del "pedaleo" se iba a convertir en algo más que simple figura literaria.

Indagación tras indagación, todo fue infructuoso. Ubiqué a un piloto y a una avioneta dispuestos a llevarnos, pero sin permiso para volar sobre Nicaragua... nada. La tarea parecía verdaderamente imposible. En eso el rugido de motores a propulsión nos anunció la llegada de otro avión, y apareció en la pista un jet privado, un Lear, que llegaba a Tocontín para recoger a un equipo de la NBC que había arribado junto con nosotros y que —como nosotros— se había quedado varado en Honduras. Venía, como era de esperarse, provisto de su propio permiso para volar sobre Nicaragua. Después de todo... era la NBC.

El Lear venía vacío a recoger a su equipo varado. Yo, sintiendo que no sería competencia para ellos —¿qué era la Telesesenta para la NBC?—, le rogué al productor que nos llevara en su avión... La respuesta fue "no". "El seguro", nos dijeron, "el seguro". Y diciéndome a mí mismo que "esto no le puede pasar a Descalzi", me di la media vuelta y me puse a buscar una alternativa. Era cuando en mi inconciencia —o en mi carencia de conciencia suficiente— no veía límites a lo que podía o no podía hacer, cuando la inseguridad de mi ser era tan grande que éste no se podía detener sin sufrir una caída aparatosa... y tenía que seguir siempre, como tiburón, adelante, adelante. Era nadar... o hundirse... Es parte de lo que me llevó a lograr muchos imposibles... pero no era ésa una motivación envidiable. Fue en todo caso la que me llevó a buscar otro medio de transporte.

Al no haber alternativa tomé la "opción gringa": menear el dólar verde en busca de algún chofer para que nos llevara, sin papeles y a pesar del cierre de la frontera, hasta Managua. Lo encontré. No recuerdo la cifra, pero lo que le pagué debe haber sido bueno, puesto que llegó al extremo de sacar su carro fuera del camino para cruzar la frontera a campo traviesa, por allí por donde no transitaba absolutamente nadie.

En el vuelo de Taca había venido también una persona que adquiriría renombre como fotógrafa de las guerras sandinistas y que, como yo, se había quedado botada en Tegucigalpa: la reportera gráfica Susan Meiselas. Fue juntos que alquilamos el taxi, añoso y desvencijado, para ir a cubrir la revolución. Cruzamos así la frontera a través de los surcos de algún campo que se extendía entre los dos países y, con el carro dando tumbos, llegamos al que pronto sería el país de los sandinistas, donde luchaban "contra el yanqui, enemigo de la humanidad" (letra del himno sandinista de ese tiempo).

Eran días de inocencia en América Central. Los nicaragüenses no sabían lo que se les venía encima. Querían sacarse la camiseta somocista y por más rivalidades que tuvieran entre ellos, se unieron en torno a ese objetivo. No era el suyo un descontento meramente político. Lo que sentían iba más allá. Era un profundo malestar por el enfoque de su existencia. Es que la vida en Nicaragua continuaba siendo, después de todo, la vida dentro de un país colonial. Managua bien pudiese haber sido Saigón antes de la batalla de Dien Bien Phu, cuando los franceses aún regían en Indochina.

> Blanca burguesía,
> blancas manos que de lodo no sabían,
> con damas vestidas de blanco
> se paseaban en el club.
> Su acalorado pueblo,
> sudoroso desde temprano,
> sucios dedos, sucias manos,
> menospreciado estaba
> por el servicio que le prestaba...

Era el mundo al revés, donde trabajar era casi una vergüenza y no tener qué trabajar casi motivo de orgullo. Y todos, casi absolutamente todos, se daban cuenta de ese absurdo. Había llegado el momento de la última agonía de la colonia. Ser antisomocista se convirtió así en un acto poético, y en la patria de Rubén Darío la sangre del poeta empezó a correr por las venas de su pueblo.

Era casi imposible no darse cuenta de lo absurdo de una situación al revés, y hasta la misma burguesía blanca contribuyó al cambio porque quería desesperadamente aprender a valorar a su propio pueblo y su propia vida... quería dejar de despreciar lo suyo.

El desprecio por lo suyo llegó a tal extremo en el general Somoza que bombardeó a su propio pueblo durante la insurrección. Era nada menos que... matarlo... para salvarlo. Pero a eso se llegaría más tarde, en Matagalpa, Monimbo y otros lugares. Mientras tanto, lo que nacía en esos momentos en Nicaragua era muchísimo más que una simple rebelión política. Era una rebelión de su ser nacional, y en eso compartíamos algo, los nicaragüenses y yo. Acababa de entrar a un país que, al igual que yo, corría para dejar atrás su inestabilidad, buscando el equilibrio en su propia carrera. El país entero estaba ingresando a su propia carrera de bicicleta... la vuelta sandinista de Nicaragua.

Nuestra llegada a Managua no pudo haberse producido un minuto más tarde. En nuestro viejo y destartalado taxi fuimos directamente a las afueras del palacio legislativo, cercado por la guardia nacional. Del equipo de la NBC que había venido a bordo del Lear no había ni rastros. Quizás estaban todavía descansando de su periplo en el hotel Intercontinental. Nosotros, frente a palacio, nos enteraríamos de que Somoza acababa de capitular. Habría intercambio de prisioneros y permitiría la salida del país a los sandinistas.

Ése fue el último error fatal del general Somoza... No es que hubiese tenido mucha alternativa que acceder a las demandas de los sandinistas, pero luego de ese momento los sandinistas se cubrieron del manto de gloria propio de los vencedores y lo aprovecharon para rodearse de la adulación pública. Fue en ese momento que el país entero los abrazó como vehículo de cambio, y tanto el pueblo como la élite nicaragüense estuvieron de acuerdo en eso. Pero el cambio que buscaban los sandinistas no fue, para desgracia del país, el mismo cambio que deseaba —aunque sea inconscientemente— el resto de Nicaragua. Lo que buscaban los sandinistas era un cambio político. Lo que Nicaragua buscaba era salir de ese anacronismo histórico en que se encontraba, viviendo una especie de continuación agónica de la colonia. En realidad, los días de Somoza y del somocismo estaban contados. No había alternativa. Somoza aceptó lo ineludible... pero al capitular a los sandinistas capituló a un error.

Hasta en eso se asemejaban nuestras situaciones —la nicaragüense y la mía—. Yo también había capitulado en la fuga desesperada que había emprendido de la inestabilidad de mi ser, y había capitulado también a un error. Es que lejos de buscar estabilidad en fortaleza la busqué en disolución... de mi ser. Corrí fuera de él, disolviéndolo. Había llegado a Nicaragua no sólo con lápiz y papel, sino también con mariguana y alcohol... Había encontrado un escape fácil a mi descontento, disolviéndolo en humo de cannabis y en vapores de alcohol. El sandinismo fue en ese sentido... la mariguana de Nicaragua... Con él Nicaragua ingresó a sus propios años de disolución.

Mientras tanto, varios gobiernos se prestaban de mediadores en la crisis. Se preparaba también la partida, en el pronto a ser rebautizado aeropuerto Julio C. Sandino, de los cautivos liberados por Somoza... y la de los guerrilleros que habían tomado el palacio legislativo. Carlos Andrés Pérez, de Venezuela, y Omar Torrijos, de Panamá, aprovecharon el momento para presentarse ante sus propios pueblos como campeones de la independencia latinoamericana. Para eso enviaron aviones de sus respectivas fuerzas aéreas a recoger a los sandinistas a Managua. Con eso parecían decirles a sus propias izquierdas nacionales: "¿Ven? Somos auténticos: nosotros también estamos en contra de la colonia". Con eso validaban sus propias poses de campeones tercermundistas, nacionalistas... ¡demócratas encima de todo!

En fin, es por eso que los sandinistas triunfarían en contra de Somoza: porque su propio pueblo vio en ellos el vehículo para el cambio que ansiaba; porque otros gobiernos latinoamericanos decidieron que apoyarlos sería una buena manera de quedar bien frente a sus propias izquierdas, y porque Somoza lo permitió cediendo en ese primer encuentro sobre los rehenes. Fueron poses mal tomadas por todos... menos por los sandinistas. En lo excelente de su coreografía estuvo el último elemento de su triunfo.

Para colmo, el mismo Estados Unidos hizo su propia contribución en eso de las poses, asintiendo a la llegada inmediata a Nicaragua de un avión de pasajeros de la Pan Am, cuyo único propósito era decirles a las izquierdas y derechas del continente que ya todo había vuelto a la normalidad... sí, miren, hasta vuelven los turistas en este avión de Pan American, ¿no?

En fin, no bien acababan de concertarse esos vuelos, los de Venezuela, Panamá y Estados Unidos, que salieron hacia el aeropuerto varios autobuses cargados de sandinistas, además de los pronto a ser liberados rehenes de ambos bandos. La guardia nacional, todavía inocente de los horrores de la sangrienta guerra que sobrevendría, nos trató ese día con la deferencia con que nuestros pueblos siempre han tratado al extranjero. Nos abrió el paso. Trepamos a nuestro destartalado taxi con placas hondureñas y nos colocamos detrás de los autobuses. Militares nicaragüenses nos escoltaron a lo largo del camino. De la NBC todavía ni asomo. Julio, mi camarógrafo, Susan la fotógrafa y yo estábamos en el nirvana de fotógrafos, camarógrafos y periodistas: cubriendo un acontecimiento histórico prácticamente sin competencia alguna.

Los aviones enviados por Pérez y Torrijos, garantes del acuerdo que "solucionaba" la crisis, esperaban en el aeropuerto. Los sandinistas abordarían allí el Buffalo de la fuerza aérea venezolana enviado por Carlos Andrés para dirigirse al Panamá de Omar. Tanto Pérez como Torrijos se disputaban con eso ser los abanderados de una alternativa continental al izquierdismo antiyanqui de Fidel Castro en Cuba... como si el sandinismo detrás del cual se apresuraban a pararse —medio afirmándolo y medio apoyándose en él—, como si aquel sandinismo que luchaba contra el yanqui "enemigo de la humanidad", fuese después de

24

todo a ser algo diferente al izquierdismo de Fidel. Porque eso es lo que querían creer Carlos Andrés y Omar... No hay peor ciego que el que no quiere ver. A Carlos Andrés no se le caería la careta sino hasta muchísimos años después. Omar Torrijos... al menos Omar Torrijos no pretendía, como Carlos Andrés, ser un demócrata más. Quizás por eso la careta le caía más natural... quizás. Ya la tenía en todo caso bastante deteriorada por los estragos de la coca.

Cuando el Buffalo venezolano llegó al Panamá donde Torrijos les había dado asilo a los sandinistas, éstos se dirigieron al cuartel de Mosaquites, en las afueras de la ciudad de Panamá. Nosotros habíamos filmado todo el proceso. La subida en pose de super-hombre de Edén Pastora al avión venezolano, Kalashnikov en mano, y su vuelta con los brazos en alto y boina sobre la cabeza para despedirse de los testigos de ese singular episodio. Allí estaba, recién liberado, Tomás Borge, el rumiante intelectual de la revolución, masticando ya en su cabeza lo que serían los siguientes pasos a tomar: las insurrecciones en Monimbo y en Matagalpa. Dora María Téllez, la comandanta, estaba allí despidiendo esa aura misteriosa que sólo de una mujer guerrillera puede emanar, mezcla de sensualidad femenina y masculinidad de fusil. Y estábamos nosotros con nuestro destartalado taxi para seguirlos... hasta Panamá. Imposible, era otro imposible que teníamos que realizar. Pero en eso... llegó a nuestro auxilio la Pan Am.

***

Fue una época en donde la inocencia que propició el espectáculo de la llegada a Tegucigalpa de la primera transexual hondureña, hizo también posible el espectáculo que llegó a salvarnos. En el cielo azul de Managua, mientras que el equipo de la NBC se preocupaba por preparar su avión privado para ir a Panamá, mientras los sandinistas subían a sus aviones, mientras nosotros nos preocupábamos por ver cómo nos metíamos en ellos, apareció allí —como de milagro— el avión de itinerario de la Pan American...

y es que Somoza acababa de reabrir sus fronteras queriendo mostrar un ambiente de "normalidad" en su país. Qué mejor para eso que la reaparición de turistas en su aeropuerto.

Edén... qué nombre más idílico para un guerrillero, ex pescador de tiburones y secuestrador de legisladores. Mientras Edén Pastora subía rifle en mano a su avión, con granadas de fragmentación colgando de sus correas, al otro lado de la pista el medio centenar de turistas recién llegados en el avión de Pan Am observaba con curiosidad los acontecimientos. La mayoría ignoraba quiénes fuesen los sandinistas. Éstos aún no pasaban de ser un oscuro grupo de esa época. Y cuando al fin el avión venezolano partió hacia Panamá... con el avión de la Pan Am siguiéndolo, a bordo de este último íbamos mi camarógrafo Julio Moline y yo.

Descendimos en Tocumén, el aeropuerto de la ciudad de Panamá, y nos dirigimos directamente al cuartel de Tinajitas. Un comandante sandinista, Marvin, nos había dicho en Managua que si llegábamos a Mosaquites nos esperarían allí para una entrevista exclusiva con el Comandante cero, Pastora.

Llegamos al cuartel y nos encontramos con el equipo de la NBC. De alguna manera habían logrado finalmente llegar al lugar de los acontecimientos y esta vez su reportero intentó cerrarnos el paso aduciendo que se trataba de una entrevista exclusiva para ellos. Pensó que sería fácil. En el competitivo mundo de la televisión las exclusivas de ese tipo valen oro. Nosotros pertenecíamos a una hasta entonces totalmente desconocida cadena —que para el colmo llevaba el nombre de "pecado" en inglés, SIN—, e indudablemente tomaron nuestra presencia como un pecado. Amenazaron a los sandinistas con no darles cobertura si no tenían la exclusividad y los sandinistas... nos dieron la espalda. Revolucionarios o no, ellos también sabían cuándo agachar la cabeza a los dioses de la prensa americana. Bien asesorados, habían accedido a darle la exclusiva a nuestro competidor.

Al hacer como que había perdido la calma, dije en un tono de voz deliberadamente muy elevado:

"Quiénes se han creído que son estos gringos, venir aquí a Latinoamérica a botarnos de nuestra propia casa, a impedir con sus exclusivas que entrevistemos a nuestra propia gente..."

Dio resultado. Los sandinistas, escuchando esto, decidieron "revolucionariamente" concedernos la entrevista a nosotros también. Fue la primera vez en mi vida que transmití algo por satélite. Luego se volvería cosa de todos los días. En la central de transmisiones, uno de los funcionarios nos indicó dónde era que interceptaban las conversaciones telefónicas del país. Estábamos después de todo en el gobierno "revolucionario" de Omar Torrijos.

Otro aspirante al título panamericano de líder de la izquierda civilizada fue en ese entonces Rodrigo Carazo Odio. Tenía uno de esos apellidos curiosos... Odio, como el de Pedro Beltrán Espantoso, un antiguo primer ministro del Perú. Carazo Odio, con más que un poco de eso hacia el régimen de Somoza, les dio a los sandinistas el uso de su territorio. La base del frente sur de los sandinistas estaba en el norte de Costa Rica. Marvin era uno de los comandantes del frente sur y en el cuartel de Tinajitas nos invitó a visitarlo en su base en las laderas de un volcán , el volcán Tenorio. Quedaba cerca de La Cruz, un pueblo por la frontera. Nos indicó que fuésemos a San José de Costa Rica, que nos alojásemos en el hotel Royal Dutch y que una vez allí llamásemos a determinado número telefónico.

De regreso en San Francisco, nuestro gerente de estación, Robert Muñoz, decidió respaldar la aventura y me envió a Costa Rica. Esta vez fui con un joven camarógrafo de origen puertorriqueño, Bill Nieves.

En el hotel Royal Dutch, luego de efectuada la llamada telefónica, los sandinistas nos indicaron que esperásemos cerca del bar, que allí uno de esos días se pondrían en contacto con nosotros. Fue más de una semana de espera. En ese tiempo ocurrieron dos cosas curiosas.

Aparte de beber como pescados aprovechamos para entrevistar a Rodrigo Carazo, el presidente. Carazo, luego de la entrevista, nos facilitó el uso de un automóvil de la presidencia y de su chofer, "Don Quincho", para que nos llevase hasta la base sandinista en el norte. Carazo sabía, sabía que su territorio estaba siendo utilizado como base de agresión al gobierno de Anastasio Somoza... y no tuvo reparo en que lo diésemos a conocer. Es que ser antisomocista era casi de rigor en su país. Allí por las laderas del volcán encontraríamos a más de un hijo de la alta sociedad de Costa Rica peleando para el frente sur de los sandinistas. Era como pertenecer a la brigada internacional en la época de la guerra civil española. Allí estaban también prominentes miembros de las izquierdas de la América Latina. Estaba el doctor Hugo Espada Fora, un célebre panameño cuyo asesinato tiempo después enlodaría las aguas de la izquierda panameña.

Mientras tanto... Mientras tanto, esperábamos en el bar del hotel Royal Dutch, y mientras eso hacíamos un reverendo de nuestra ciudad, San Francisco, fue el actor protagónico de una noticia que de momento conmocionó al mundo entero y monopolizó los noticieros por algunos días. Jim Jones, así se llamaba el reverendo, acababa de suicidarse junto con toda su feligresía, más de ochocientas personas. Se habían suicidado bebiendo un refresco mezclado con cianuro, un Kool Aid "eléctrico". Fue en Guyana, en la otrora Guayana Británica, en el rancho que tenía la iglesia del reverendo Jones, el Templo del Pueblo. Se llamaba Jonestown.

Billy Nieves y yo conocimos personalmente al reverendo y a una buena parte de los suicidas. Todos eran del área de la bahía de San Francisco, donde estaba radicado el templo.

En 1977, en ocasión del cuadragésimo aniversario de la inauguración del Golden Gate, un grupo de iglesias hizo una marcha contra el suicidio en el lado sanfranciscano del puente. Más de quinientas personas se habían ya suicidado para ese entonces lanzándose a las aguas desde ese puente y las iglesias querían acción. Qué irónico que fuese ésa la primera vez que vi a Jones, exigiendo la construcción de una rejilla que impidiese a los suicidas lanzarse desde el puente. Era el mismo hombre que luego en Jonestown ordenaría el suicidio de todos sus seguidores. Fue una época en que sobre San Francisco parecieron cernirse nubes de borrasca.

Fueron las cumbres borrascosas de la ciudad... Hay un dicho del idioma español que viene a mente: cuando llueve, llueve a cántaros. A San Francisco le cayó y le volvió a caer, como en ese año de —¿recuerdan?— cumbres borrascosas en Estados Unidos, 1968, cuando el país entero pareció volverse loco. Se repetían cosas absolutamente increíbles. La guardia nacional disparaba contra estudiantes, en el país se asesinaba a sus líderes, a sus luces más brillantes... En pocas semanas mataron a Bobby Kennedy y a Martin Luther King... Y nuevamente, ¿será que no nos damos cuenta? ¿Será que la acción de puntas en la electricidad se extenderá también a las cumbres de la actividad humana? ¿Por qué saltará la chispa sobre las cumbres? ¿Será acción humana, designio de los dioses o simple casualidad?

En fin, el 78 fue un año de cumbres en San Francisco y casi nadie se dio cuenta. El SIDA ya se había desatado y absolutamente nadie lo sabía. Jones estaba a punto de suicidarse, y dos de los hombres que él promovió estaban a punto de ser asesinados: el alcalde de la ciudad y uno de los supervisores de la misma, Harvey Milk. ¿Por qué tanto palo? Yo tengo una respuesta muy personal a esa pregunta: el palo también viene de Dios.

Lo duro, lo difícil, lo doloroso, son todos regalos de Dios. Dios en su infinita compasión nos da lo fácil, lo placentero, lo gozoso, para que tengamos un descanso en nuestro tránsito por la vida. Pero nos da lo duro, lo difícil y lo doloroso para que podamos crecer y elevarnos por encima de nuestras propias limitaciones. De otra manera no lo haríamos. Ése es el verdadero regalo de Dios al hombre: la dificultad, porque mediante ella crecemos. Así es para mí. Cuando la he tenido fácil he acabado mal. Por eso ese dicho: del agua mansa líbreme Dios, que de la brava... me libro yo.

Jim Jones era un facilitador en San Francisco, un agente de lo fácil. Su secreto estribaba del control que ejercía sobre varios cientos de los más pobres de la ciudad que dependían de él para todo. Los pobres fueron su instrumento. Los movilizaba en autobús a cualquier lugar para crear múltiples e instantáneas manifestaciones en apoyo de una causa o de otra. Se convirtió así en el auspiciador de más de un candidato político, el alcalde Moscone entre ellos. Esos mismos políticos le garantizaban a Jones, a cambio, la asistencia social federal de Estados Unidos para "sus" pobres, y con esa asistencia Jones se aseguraba el control de sus seguidores. Era un círculo vicioso, la serpiente comiéndose su cola... y eventualmente los devoró a todos. "Have gun, will travel", tengo multitud, la traslado a cualquier lugar: ése era el secreto de Jones. Fue así que llevó a los futuros suicidas de Jonestown hasta el puente del Golden Gate en ese día de la marcha contra el suicidio. Recuerdo haber estado allí con mi camarógrafo. Varios de los pastores, rabinos y sacerdotes se refirieron al puente como un monumento a la belleza fría e inhumana de nuestra sociedad mecánica, como un monumento a la muerte contra el cual exigían acción. Todo esto lo grabamos Billy Nieves y yo en nuestra modesta cámara Sony de un tubo... hasta que le llegó el turno de hablar a Jim Jones.

Cuando tomó su turno dio un discurso tan desconectado, tan patéticamente emocional y con tan poca coherencia que a mí, mirándolo y escuchándolo hablar, me dio vergüenza ajena. Habló sobre cómo la noche anterior había soñado con el suicidio, de cómo esto lo había conmovido y mucho más, y yo, sintiendo vergüenza ajena por él, me di la vuelta y le ordené a mi camarógrafo que no lo grabase. Cuando volvimos a KDTV me encargué de borrar lo que ya se había grabado.

Cuando en San José, Costa Rica, escuché la noticia del suicidio de Jonestown, cuánto no hubiese dado en ese instante por haber grabado la totalidad o guardado aunque sea un poquito de ese discurso del reverendo Jim Jones.

En todo caso...

***

Al octavo día de espera en el bar del Royal Dutch, una misteriosa llamada nos dice que vayamos a La Cruz, en la frontera con Nicaragua, y que "esperemos en el bar junto a la gasolinera".

Partimos de San José en el carro proporcionado por el presidente Carazo, con "Quincho" por chofer, en busca de los sandinistas. La de ellos no fue una guerra solitaria. Ser sandinista en Centroamérica en esos momentos era algo así como ser hippie en el San Francisco de los sesenta. Fumar de la yerba sandinista era "in". Contaban con amplio apoyo. Gobernaba Jimmy Carter en Estados Unidos... y esa inocencia hippie de la generación flor pareció infectarlo también a él. Carter no establecía las diferencias que sus sucesores, Reagan y Bush, harían entre dictadores de izquierda y de derecha. Para Carter un dictador era un dictador, y Somoza era uno de ellos. Si es que había gobiernos que se oponían a Somoza... pues se oponían a una dictadura y eso estaba bien para él. Así pues, cuando Venezuela, Panamá y ahora Costa Rica se pusieron a apoyar la insurrección contra Somoza, Estados Unidos... no hizo nada. Si cuando el ayatollah tomó Irán, Carter se quedó pasmado... Es que después de todo el Sha... ¡era otro dictador!... y Jomeini era ¡un clérigo!

Salimos de San José rumbo a la frontera con Nicaragua. Después de un día llegamos a La Cruz, poco más que un cruce de caminos con un par de cuadras de casas muy pobres. Debíamos esperar en un bar en la única gasolinera del pueblo. Allí era donde los sandinistas nos buscarían. Entraban y salían entre Nicaragua y Costa Rica como Pedro por su casa. Su base de operaciones estaba en la ladera norte del volcán Tenorio. Habían prometido llevarnos hasta allí.

Nos hicieron esperar. Pasaron los días y ni asomo de ellos. Habían estado vigilándonos hasta asegurarse de que no manteníamos contacto con sus enemigos, que éramos Kosher... Sentados en el bar, Billy y yo vaciábamos innumerables botellas de cerveza Gallo. El "bar" era al mismo tiempo el único salón social de la localidad. Por allí pasaba tarde o temprano todo el mundo. Y Billy y yo nos convertimos en objetos de curiosidad. El pueblo entero desfiló por allí a vernos. Una noche de viernes, seis días después de haber llegado, se dio la fiesta del pueblo y se festejó en ese lugar. Fue, como es costumbre en muchos pueblos pequeños, una fiesta en la que la actividad principal fue... la bebida. Billy y yo nos sumamos a ella con entusiasmo. Una de las bellezas del pueblo me invitó esa noche a su casa y, un poco mareado ya, nos dirigimos a ella. No estaba mirando muy bien. Mi cabeza me daba vueltas de tanto aguardiente "Flor de caña", y en esa noche sin luna las calles me parecieron extrañamente bajas... extrañas... "demasiado bajas", pensé. Su casa resultó ser extra-chica, como la casita de un duende o una casita de Liliput... y allí entramos a pasar la noche. Mi cabeza se iba, me venía... no recuerdo mucho, pero sí que esa noche le conté bastante de nosotros —de Billy y de mí—. Así, me quedé dormido y cuál fue mi sorpresa cuando al despertar, me di cuenta que estaba en una cripta en el cementerio local... por eso las "calles de techos bajos" que había visto en la noche... En todo caso, esa misma mañana cuando regresé al bar me estaba esperando allí un comando sandinista. Había, sin saberlo, pasado algún tipo de examen.

Los sandinistas andaban en un vehículo de doble tracción. Nos vendaron los ojos y nos tendieron en el suelo. Un tiempo después llegamos al campamento base del frente sur, al mando de Edén Pastora. Marvin nos recibió. También estaba allí un hijo de Pepe Figueres. Los ticos que se habían sumado a la revolución venían casi todos de lo más alto de la sociedad de su país. Venancia, así era el nombre de guerra de una tica jovencita —tendría unos 20 años—, me impresionó, sí, por sus ojos de venado y lo ingenuo de su mirar. Era delgadita, trigueña, bella. Su nombre le caía como anillo al dedo. Carne de cañón.

Allí estaba también Roberto Vargas, "Quique", el poeta guerrillero de San Francisco que orquestó las innumerables tomas del consulado nicaragüense en la ciudad. En esta ocasión se dedicaba a menesteres menos folclóricos. Empuñaba un AK-47.

Mi entrevista con los comandantes me convenció de que el destino de la guerra contra Somoza estaba decidido. Repetidamente escuché nombrar una ciudad nicaragüense, Matagalpa, y hacia allí me dirigí después.

***

De regreso en San José, Costa Rica, me encontré con la sorpresa de los asesinatos del alcalde George Moscone de San Francisco y de un concejal homosexual de la misma ciudad llamado Harvey Milk, Harvey "leche", otro nombre "adecuado", me pareció, como el de Venancia. Era un hombre de calidad que en San Francisco, la Meca del homosexualismo estadounidense, se había "destapado" en su condición gay y había postulado al cargo sobre esa base. Dan White, Dan "blanco" —hablar de ironías—, un ex bombero racista que odiaba a los homosexuales y acababa de renunciar al cuerpo de supervisores, fue quien mató a los dos. Atravesaba por un cuadro psicótico agudo y le pasó lo que a muchos: se cayó de la bicicleta. Porque sí, ése es uno de los peligros de la vida en bicicleta: uno se cae de ella y el daño a veces es mayor. White era otro bicicletero de la vida, buscaba su estabilidad en la velocidad con que vivía... Bombero, supervisor, pequeño empresario, esposo, renunció a su puesto de supervisor porque se le empezaron a caer las bolas en su acto de malabarismo y luego, porque sencillamente no podía parar, pidió al alcalde que le devolviera el cargo de supervisor al que había renunciado. Cuando Moscone se negó, White lo mató. Y mató también a Milk. Era una afrenta personal para él que el señor Leche homosexual permaneciese como supervisor cuando el alcalde le bloqueó el regreso a él, el Adalid Blanco.

White se cayó de la bicicleta. Pasar de ser bombero heroico y adalid del machismo blanco en el municipio a ser simple empresario no le cayó bien al ego. El alcalde Moscone, por su parte, acababa de sufrir otro tipo de golpe. Acababa de perder a un aliado estratégico con la muerte del reverendo Jones, el que siempre llenaba sus marchas y le garantizaba el voto del pobre. Moscone decidió así buscar otra alianza, esta vez con los homosexuales, y accedió al pedido de Harvey Milk de no permitir el retorno de Dan White, el antihomosexual, a su cargo de supervisor... White se estrelló contra ellos y en su caída de la bicicleta los mató a los dos.

A mi regreso a San Francisco ya Dan White había sido capturado y su juicio, de acuerdo con la tradición judicial estadounidense, procedía a ritmo acelerado. Su defensor, Douglas Schmidt, mediante un uso magistral de la retórica, logró convencer al jurado de que White había sufrido un "grave desequilibrio temporal" y lo exoneraron de los principales cargos en su contra. Ah, pero el abogado fue inteligente. El "desequilibrio temporal" se lo atribuyó no al ego de White... sino a un factor externo. Fue producto de los "twinkies" que comía, unos chocolatitos enrollados de poquísimo valor nutritivo. Pintó al jurado un retrato real: el del desequilibrio de White. Pero lo atribuyó a una causa totalmente ajena a él, a los "twinkies"... cuyo poco valor nutritivo habrían ocasionado un desequilibrio químico en su cuerpo. Absurdo quizás, pero lo hizo con tal habilidad que convenció al jurado de que los chocolatitos habían sido los responsables de la demencia "temporal" de White...

Pero el responsable real de esa demencia, el ego de White que se había adueñado de su persona, no escapó al castigo.

Fue una lección, una tremenda lección. Si no matas al ego, éste te mata a ti, y en el caso de Dan White el ego lo llevó a la muerte física... el ego en su papel de Sansón. Yo, que había estado dándole respiración boca a boca a mi ego con bocanadas de mariguana y vapores de alcohol, quedé aterrado por lo que pasó luego.

La victoria de la defensa en el caso White fue una victoria pírrica. Ganó la batalla pero perdió la guerra. El jurado había perdonado a White, pero White no se pudo perdonar a sí mismo. Después de cumplir una ligerísima sentencia por el uso de un arma y por el ingreso indebido a la alcaldía a través de una ventana, White, al salir de prisión, se suicidó en su garaje.

El ego es el peor castigador de uno porque es... es vanidoso...

Palabras del Eclesiastés: Vanidad de vanidades, no hay nada nuevo bajo el sol, todo es vanidad.

Uno puede ser declarado inocente, pero si uno se sabe culpable y no ha logrado someter su propia vanidad... la vanidad hace que uno no se perdone a sí mismo. Si no ha llegado uno a someter su vanidad... no encontrará jamás escape de su persona. No importa cuánto pedalee uno en su vida en bicicleta, nunca establecerá suficiente distancia de sí mismo para lograr salvarse. Así le pasó a White. White salió de la cárcel y se mató porque no pudo vivir con la propia imagen de sí mismo... Hay que matar a esa "persona" vanidosa que se entroniza dentro de cada uno de nosotros para librarnos de nosotros mismos... o esa "persona" nos mata a nosotros. Porque a fin de cuentas no es posible correr de uno mismo. Lo que hay que hacer es dejar todo el aparato sobre el cual se monta uno para su tránsito por la vida, dejarlo y volver a la simplicidad. Ése es el renacer de la literatura religiosa. Y ése es uno de los significados de la historia de David y Goliat.

Dentro de cada uno de nosotros hay un David, pequeño, simple, armado sólo con lo que Dios le dio. Todos nosotros nacemos también con un Goliat que se arma hasta los dientes para defender su primacía dentro de uno y fuera también, en el mundo. Se arma de cultura, de saber, de drogas, de placer... Se arma con todo lo que encuentra a su paso y poco a poco se convierte en el gigante que aplasta a David. El truco está en matar al gigante, en abandonar sus atributos, en volver a la simplicidad. El truco está en no defenderse con las armas del mundo, porque el arma que necesitamos para nuestra defensa es la que le dio Dios a David. Esa arma es una: la verdad ...utilizada con amor. David es la representación de esa verdad y de ese amor dentro de cada uno de nosotros. Goliat, armado de la mentira, nace junto a él, David, en cada uno de nosotros. Goliat muere... cuando renacemos. Renacemos cuando matamos al gigante. A veces Goliat toma la forma de otro hombre fuerte, Sansón, el que, como en el caso de Dan White, cometió suicidio. Se mató porque no aguantó verse disminuido. Lo mató su vanidad.

Pero ese día en San Francisco yo no entendía la lección y el suicidio de Dan White me llevó de inmediato a otra nube de humo y vapor... La nada, la nada... La nada era mejor para mí que mi persona.

Años después, viviendo en las calles de Washington, recordaría el caso White.

***

En 1995 había descendido a lo más bajo de la escala social. Había abandonado todo, pero lo había hecho equivocadamente. Fue, como me diría una vez el senador Christopher Dodd de Connecticut, "un equívoco malo". Lo había abandonado todo porque había corrido a esconderme en una nube de alcohol y mariguana... con algunos copos de cocaína regados por aquí y por allá. Era un drogadicto, un alcohólico, un mendigo en las calles de Washington que nada quería saber del mundo oficial.

Mi vuelta ciclística a la vida me había alejado muchísimo de mi ser original, del David dentro de mí, y con cada momento que pasaba se le hacía más difícil mantener el equilibrio al Goliat que controlaba la bicicleta de mi vida. Y es que no se puede correr de sí mismo. A fin de cuentas, la carrera, si es que es válida, debe ser no hacia afuera sino más bien hacia dentro. No a perderse, sino a encontrarse... a encontrarse con el ser simple y sencillo que vivió en nosotros desde el principio, desde antes de que el deseo encumbrase a la vanidad y nos aplastara debajo de ella. El deseo de la persona de llenarse, de inflarse, de crecer, de brillar con luz propia, hace que empecemos a quemarlo todo a nuestro paso. Es el pecado de Lucifer, querer brillar con luz propia. Goliat y Sansón queman todo a su paso.

Mi retiro del mundo fue una rebelión medio voluntaria, medio obligada. No me había bajado de la bicicleta, tanto como que me había caído de ella. Creía que me rebelaba contra el discreto encanto de la burguesía... pero me rebelaba en realidad contra el discreto desencanto de mí mismo... tan discreto que no me daba ni cuenta de él. Para mí el culpable era el mundo. Había decidido no tener más que ver con él... porque el mundo no me había rendido pleitesía, porque me sentía incómodo en él... porque mi vanidad... mi VANIDAD era tal... que no podía aceptar la pequeñez de mi persona. Para no mostrar mi pequeñez me dedicaría a recluso. Para que el mundo no viese a ese pequeño David, mi Goliat se iría a vivir a una cueva... a recluso... y para alimentar a Goliat... más humo, más vapor y más nieve. Sí, me dedicaría a recluso. Es más, sería un ermitaño, y como la ermita de hoy está en la calle... allí me fui. Me había disgustado totalmente con el mundo en que vivía. Me había disgustado totalmente con el papel que jugaba dentro de él. Increíble, ¿no?

Pero así fue: una ceguera total. Quise traer las paredes del templo encima de mí. Ése es uno de los significados de la historia de Sansón... Fue su vanidad la que —al verse empequeñecido— dio muerte a Sansón y a los filisteos.

Pero yo no. Yo todavía no estaba listo ni para matar a Sansón ni para buscar al David dentro de mí. Yo todavía tenía bicicleta para rato. Sansón y Goliat vivían muy bien dentro de mí... Y a la calle me fui, ya cayéndome, perdiendo el equilibrio, viéndome obligado a parar sólo porque me estaba estrellando... Pero aun así no me quería desmontar... me caí. Como San Pablo, que también se cayó, sólo que en su tiempo no había bicicletas. Él corría a caballo.

En realidad mi carrera era en circo de tres pistas: una, pública, donde mi bicicleta era la profesión de periodista. Otra, privada, donde mi bicicleta eran las drogas y el alcohol, y otra, familiar, donde desgraciadamente hice mucho daño... pero no todo está perdido. Uno puede cambiar el curso de su pasado. Sí. Es posible. No se puede cambiar el pasado, pero sí su curso, su significado. Ya veremos.

En las tres pistas pedaleaba a toda carrera, como solemos hacer la mayoría de nosotros en esta sociedad nuestra. El correr en la pista profesional al menos es aceptado... pero no es necesariamente bueno para uno. Allí la velocidad es públicamente aplaudida como ruta al equilibrio...

Mientras tanto, Dan White murió víctima de sí mismo, de su Sansón. Y también, en la calle, ese año 95, Sansón alzaría la cabeza en la figura de otro hombre al que llamaremos Pacheco.

***

En la calle de Washington que fue el centro de mi actividad de mendigo, la Columbia Road, Pacheco ocupaba una posición entre la de mendigo y de trabajador ambulante: era empleado ocasional de los vendedores ambulantes. Muchas mañanas les armaba sus puestos de venta y se los desarmaba por la noche. Todo lo que ganaba se iba en una sola cosa: *crack*. Estaba enamorado de una prostituta negra, "Linda". Ella desaparecía de cuando en cuando para dedicarse a orgías... Pacheco me preguntaba entonces si la había visto. Pacheco, hombre ecuánime, en esas ocasiones perdía totalmente su compostura.

En esta ocasión Linda había desaparecido nuevamente. De pronto, Pacheco también desapareció. Poco después de eso, Linda fue encontrada muerta a cuchilladas. No pensé más en el asunto. Azares de su profesión de prostituta, pensé. Semanas después, Pacheco reapareció en la calle, una sombra de lo que había sido. Vagaba sonámbulo por la calle. Había corrido tanto de sí mismo... que se salió de la realidad. Y es que, al igual que Dan White, Pacheco se había autocastigado. Él, y nadie más, había sido el autor de la muerte de Linda, y sabiéndose culpable, no había podido perdonarse. Es más, al igual que White, no se había podido acercar a lo único que realmente redime, no había podido acercarse a la verdad porque no había podido bajarse del altar en que su monstruo interior se había instalado.

***

La exoneración de Dan White ocasionó una revuelta homosexual en San Francisco. Decenas de miles se lanzaron en protesta a las calles, quemando autobuses y carros, apedreando a la policía y tratando de tomar la alcaldía de la ciudad. Iván Dávila, mi camarógrafo/reportero de ese entonces —así era KDTV—, fue golpeado por una turba gay frente al municipio. Le desgarraron la ropa, lo insultaron y lo patearon.

Tras estos sucesos el sheriff de San Francisco llamó a una conferencia de prensa. Yo hacía de todo en ese tiempo. Al igual que el camarógrafo/reportero Iván Dávila, yo también cubría varias funciones. Era director de noticias, escritor, presentador en cámara, reportero y, sí, también camarógrafo, según la necesidad. En ocasión de la conferencia de prensa del sheriff hice de camarógrafo, y como no tenía mucha práctica me quedé al último después de la conferencia desarmando mi equipo. Al final, cuando quedé solo, se me acercó el mismo sheriff, Richard Honguisto... "Oye, ¿tienes coca?" Yo pensé que se trataba de una trampa. No sé hasta la fecha si me lo dijo en serio o en broma, pero en los próximos años mi vida transcurriría así, en circo de tres pistas y a veces las pistas se cruzarían invadiendo una el terreno de la otra... hasta que me fue imposible mantenerlas separadas y conservar el equilibrio en ellas. Empecé a abandonarlas una a una, primero la familiar, luego la profesional, mientras corría en la última que me quedaba, la de adicto. Pero eso llegaría más adelante en el futuro cuando, en 1994, me fui a vivir a la calle.

***

Mi llegada a San Francisco había sido en 1975, a los 27 años de edad. Fue producto de una profunda insatisfacción conmigo mismo. Mi vida se derrumbaba en Lima, donde trabajé como maestro. Tan rápido fue el derrumbe de mi vida allí que agarré carrera a gran velocidad para poder mantener el equilibrio, y en esa carrera es que acabé en California.

Yo nací en la ribera del Rímac, el río hablador. Dicen que es hablador porque arrastra piedras desde la altura de los Andes donde se origina, y se refieren al ruido que hace como el hablar del Rímac. Lima fue el señorío del cacique Taulichusco, el último cacique de Rímac. Cuando los conquistadores llegaron allí el nombre que ellos entendieron fue "Límac" y se quedó como Lima. Torcerían de igual manera otros legados de los incas. Torcerían de manera muy peculiar su cultura, matando su mismo espíritu, dejándola zombie —como cadáver viviente— hasta nuestros días. Es uno de los aspectos más trágicos del Perú de hoy: la condición de muerte en vida de la cultura de los herederos de Atahualpa. Esa herencia de la conquista fue uno de los aspectos principales que marcaron mi niñez y que marcan todavía la vida de todos los peruanos.

La cultura es la llama de la vida en un pueblo. Sin su cultura, el espíritu de ese pueblo muere: se transforma en otro pueblo —y eso si es que logra adquirir otra cultura—. De lo contrario, se queda sin espíritu. Los conquistadores mataron la cultura quechua de los incas y éstos han sobrevivido sin su cultura durante todos estos siglos. El país donde yo nací, Perú, y más específicamente la ciudad donde yo nací, Lima, mantienen intacta esa herencia de muerte de la conquista. Han llegado y han pasado generaciones y en todas, una tras otra, se ha mantenido cuidadosamente esa situación. Es por eso quizás que en mi parecer —quizás sea culpa de mi nariz— el Perú en general y Lima en especial tengan cierto olor... a muerte social. Cada vez que la cultura indígena ha alzado la cabeza se le ha vuelto a aplastar. No se les da respiro al indio y al mestizo, mayoría en el Perú, para la cual nuestra herencia de hijos de la conquista no permite aún un poco de caridad. No los dejamos alzar la cabeza y les echamos la culpa a ellos de su propia condición.

En 1947, cuando nací, Lima era todavía una pequeña ciudad de ambiente colonial con apenas trescientos mil habitantes. Era una ciudad donde el blanco era rey. Algo muy similar, por no decir igual, ocurre en la América Latina de hoy. Vivíamos —como todavía vivimos hoy— como hidalgos. La hidalguía es algo muy español, cuya mejor traducción al inglés es *cavallier*. Ser hidalgo es ser "hijo de algo" y está rodeado de atributos y obligaciones que perpetúan la realidad de la conquista en el Perú de hoy.

El hijo de algo para empezar no tiene por qué trabajar... porque es hijo de algo. Quizás por eso en Lima se haya creado una clase social tan débil como la aristocracia blanca de la ciudad, que casi nada sabe de trabajo manual. Para eso están "los indios" y "los cholos". Ése es el motivo del profundo desprecio al trabajo manual de la aristocracia latinoamericana, y está en la base de los profundos males que hoy aquejan a nuestra sociedad... porque el hidalgo no sólo no tiene que hacer trabajo físico... tampoco debe hacerlo. Para eso están... los demás. Ésa es la actitud que dio nacimiento a las múltiples revoluciones izquierdistas de la América Latina, totalmente equivocadas además porque la calidad de la persona no la mejora ninguna revolución. Pero en eso se basaron las izquierdas continentales. El izquierdismo latinoamericano se alzó contra ese fenómeno muy de la conquista: la hidalguía. Fue una rebelión contra la servidumbre de un pueblo cuya cultura había sido aniquilada por el hidalgo en el nombre de Dios.

Y así continúa siendo hasta el día de hoy.

Yo fui un niño deprimido. Creo que fue por eso en gran medida. Me deprimió la situación de mi alrededor, me deprimió la hidalguía y me deprimió la indiada... Sus situaciones tuvieron mucho que ver con que desde chico yo empezara a correr tratando de alejarme, de irme lejos de donde estaba... porque me pasó algo muy curioso. Empecé a rechazar lo mío. Empecé a rechazar mi herencia. Empecé a rechazar lo que tenía que querer... aprendí... Aprendí a odiar lo amado y a amar lo odiado.

Es algo muy latinoamericano. Padecemos de una cierta esquizofrenia social que se enraiza en la conquista y a través de la hidalguía continúa hasta nuestros días. Porque sí: es muy latinoamericano odiar lo propio y amar a nuestro ancestro europeo. Lo malo es que esa cultura europea también murió en nosotros, está tan muerta como la cultura indígena que vino a aplastar.

La herencia hidalga cometió suicidio cuando se dedicó a vivir del trabajo de otros. Murió por desuso, por atrofia... y por contagio. Sí, por contagio: porque ese baile macabro entre conquistadores y conquistados acabó en contagio. La muerte que le impusimos a la cultura conquistada contagió también nuestra herencia europea y nuestra sociedad se estancó en sus dos niveles, superior e inferior... Fue la verdadera muerte de Sansón y de los filisteos. Ahora hay que encontrar al David de nuestros pueblos.

El conquistador se colocó en un altar y se hizo servir. En la mayoría de países de la América Latina y para la mayoría de sus descendientes, la situación no ha cambiado de manera significativa. Y es que para cambiar esa situación lo que hay que resanar es su ser, bajándolo del altar de ídolo en que se colocó. No hay vida en el altar de los ídolos. No es mediante "revoluciones" a la sandinista que se restaura la vida, sino mediante un cambio al interior de todos y cada uno de nosotros lo que esto se logra. Porque —sí—, hay que devolverle la vida a todos los hijos de la conquista, a los de arriba y a los de abajo. A los hijos del indio y a los hijos del conquistador. Nuestros pueblos tienen que encontrar a su David.

En fin, cuando abandoné Lima para dirigirme a San Francisco en 1975, ésa era una realidad que yo no entendía de esa manera. Era sencillamente que me sentía asfixiado y no sabía por qué. Tampoco es que estuviese asfixiado por culpa de la realidad. Es sencillamente que yo no me había adaptado a ella. La mayoría, la gran mayoría, sí se adapta. Logra de alguna manera crecer y hasta llega a florecer en esas increíbles condiciones. No será un crecimiento muy lozano, pero es. Y es conmovedor porque es heroico. Nadamos contra la corriente de nuestra herencia... pero nadamos. Algún día cambiaremos. Sera uno por uno. El único cambio real es individual, progresivo, al interior de cada uno... Sólo entonces cambia la sociedad.

Las raíces de nuestras revoluciones de izquierda no están en las luchas contra la burguesía y el capital de los Marx y Engels locales. Sus raíces están en la desesperada búsqueda de la igualdad por parte de los hijos de la conquista. De todos los hijos de la conquista. Los hijos del conquistado se sienten inferiores porque son tratados como inferiores. Los hijos del conquistador se sienten inferiores porque se ha atrofiado su herencia. Y ambos, enfermos —muy enfermos—, buscan igualdad. Eso es lo más terrible. Que tanto el hijo del conquistado como el hijo del conquistador padecen de lo mismo... de un ser debilitado repetida y constantemente desde la conquista. El hidalgo latinoamericano es víctima de su propio y muy profundo complejo de inferioridad. Su condición es más aguda aún que la del dominado, porque los descendientes del conquistador padecen de esquizofrenia social y los conquistados no. Los descendientes del conquistador se sienten superiores a la población conquistada... mientras que ésta, al mismo tiempo, se siente también atrás, muy atrás de los conquistadores de los que descienden y que ahora viven muy bien, gracias, en Europa y Norteamérica también. Es que el hidalgo latinoamericano es víctima de su propia hidalguía, y no pudiendo en su orgullo verse como igual, es víctima de sí mismo.

El cambio es para todos. La resurrección del espíritu indígena de nuestro continente permitirá también la resurrección del espíritu del hidalgo. Y la resurrección del espíritu del hidalgo permitirá la del espíritu indígena. No se puede dar una sin la otra. Será un renacer mutuo, de todos.

Hay una falta de madurez muy propia entre los hijos del conquistador en la América Latina. Desde la cúspide social hasta la clase media en la América Latina, la gente crece prolongando su niñez hasta el día mismo de la muerte. Sigue siendo niña o niño, necesitando de un ama, de una niñera, de una empleada, de algún empleado que le haga de todo. Es porque —clase media o clase alta— somos hijos de algo. No podemos hacer nada por nosotros mismos porque no tenemos por qué hacerlo. Hacer algo va en contra del orgullo de nuestra posición social. Cambiar las cosas es bajarse del trono en que se alzó el primer hidalgo, nuestro muy propio y muy peculiar Goliat latinoamericano. Y desde ese entonces hay vergüenza en decir "yo soy... empleado... obrero... trabajador". Hay que ser "ingeniero... licenciado... doctor".

Ésa era la situación en la Lima en la que yo nací un mes de abril de 1947. Lo mismo sigue ocurriendo hoy en la inmensa mayoría de lugares en nuestro continente. Hay excepciones notables.

Yo era un producto de esa situación. Compartía las mismas características. Me sentía profundamente inferior... y superior a la vez. Pero la manifestación de mi sentimiento de superioridad hacia el indígena era distinta a la común. En vez de desprecio le tenía lástima. Era una lástima tan profunda que me partía el corazón. Y en la sensibilidad extrema que caracterizó mi niñez empecé desde temprano a temerle a la sociedad que me vio nacer. Fui testigo de excepción de lo que habíamos hecho y me asusté a tal punto... que me convertí en un niño asustado. Y empecé a abrigar odio dentro de mí sin saber de dónde provenía ni hacia dónde estaba dirigido. Fui, desde niño, un rebelde sin causa. Me era imposible pensar que la mía fuese una rebeldía contra mis orígenes. Ansiaba, como todos o casi todos a esa tem-

43

prana edad, sentirme igual. Pero me era imposible... porque temía a los demás... a todos... a lo que habíamos hecho de nuestro mundo. Y caí así víctima de una de las peores pesadillas de la niñez: aprender a odiar lo amado. Mi espíritu enfermó de esquizofrenia social y no se libró de ella sino hasta que incliné la cerviz, hasta que aprendí a ser humilde y me bajé de mi altar en las calles de Washington.

Bajarse del altar... todos, en mayor o menor grado, estamos en eso. Todos somos seres duales. Allí, en nuestros orígenes, vive el espíritu del pequeño David que hay que rescatar. Y en todos nosotros vive también la persona de un Goliat a la que le es difícil inclinar la cerviz.

Mi familia por parte de madre viene de Caraveli, un pequeño pero primoroso pueblito en la sierra sur del Perú. Allí pasé innumerables veranos, sin agua potable ni fluido eléctrico. El blanco en Caraveli vivía en condiciones casi tan duras como las del indio mismo, pero, fiel a su condición de hijo de algo, no laboraba sino para dirigir las tareas del campo mientras que el indio, pobre, pobre, extraño en su propia tierra, cultivaba lo que fueron sus propias parcelas a cambio de una porción de la cosecha. El señor dirige la faena y el indio es pagado "al partir" una porción de la cosecha. Al indio y al sistema se les llama "partidarios". Un tío muy querido por mí debe haber tenido una sensibilidad de alma muy grande porque no aguantó el golpe de esa realidad y se refugió en el alcohol. Fue el único de la familia que yo conocí que bebía con los partidarios y alternaba con ellos. Murió en su ley. Y yo seguí sus pasos. La semilla estaba sembrada para mis largos años de escape y fuga de la realidad, de esa realidad que yo temía por el dolor que producía.

No sé por qué, todo esto afloró a mi conciencia cuando muchos años después me alistaba para ir a Matagalpa, en Nicaragua. Es que de pronto la clase media —mi clase media— estaba apoyando el cambio, estaba saliendo a las calles, y me pregunté ¿qué habría pasado? ¿Qué motor la impulsaba?

44

Estaba nuevamente esperando la partida de mi vuelo con destino a Managua. Ya había logrado mis primeras victorias en la carrera de periodista. Mis primeros pasos me habían llevado directamente a la situación en la que me encontraba: director de noticias de KDTV, ahora transformado en canal catorce, en San Francisco. Estaba a punto de comprar mi primera casa, en la que aún vive mi primera familia. Y había sufrido un rudo golpe con el nacimiento de mi primera hija, la que me llegó con parálisis cerebral. Es una mujer hermosa en su silla de ruedas, hermosa por la fortaleza de su espíritu y la tenacidad de su amor. Pero fue un regalo al revés que en ese momento no supe comprender. Había aprendido a temer lo que quería y en la inseguridad de mi condición empecé a temer a mi hija. Hoy todo eso ha desaparecido, pero para eso tuve que primero matar mi vanidad. Mi hija, mientras tanto, era una afrenta a la vanidad del Sansón dueño de mí y me empujó aún más en mi ruta de disolución.

Años después aprendería una valiosa lección de mi hija: el significado de ser iguales. Porque no importa cuán distintas sean las circunstancias de nuestras vidas, el desafío interior es el mismo para todos: llegar a renacer, descubrirse, encontrarse a sí mismo, aceptarse. Es tan difícil para alguien confinado a una silla de ruedas como para alguien en la plenitud de la salud física.

Por el momento, sin embargo, el problema que me presentó mi hija fue terrible. Fue un atentado contra mi vanidad y agudizó mi batalla de esos días. Goliat por afuera entabló una lucha de hidalgo meritorio, y así lo atestigua mi condición de periodista cuya carrera se fue para arriba, mientras que por dentro Sansón encadenado se consumía en inseguridades de debilidad y arrogancia que apagaba diariamente en mariguana y alcohol.

En Managua yo ya sabía dónde aprovisionarme de mariguana. Eran muchos los periodistas y camarógrafos residentes allí que la utilizaban como esparcimiento. Yo la usaba como escape. La obtenía de ellos. Con Julio Moline, mi camarógrafo, no bien llegamos esa vez a Managua que alquilamos un automóvil y nos dirigimos a Matagalpa. Llegamos en el amanecer de un día de insurrección y batalla. La batalla de Matagalpa. Dejamos el carro con el chofer, al otro lado del río, en la posta de la Cruz Roja, y cruzamos el puente a la ciudad a pie. Fuimos directamente al cuartel de la Guardia Nacional, donde el comandante de la posta pasaba revista a la tropa, alistándola para la acción. Éramos, Julio y yo, el equipo relámpago que estaba en todos lados. Breve filmación de los preparativos, entrevista al comandante de la plaza, y nos fuimos para cruzar al lado de las filas sandinistas. En el camino nos encontramos nuevamente con Susan Meiselas que se había quedado en Nicaragua desde aquel día en que entramos al país a bordo de aquel taxi procedentes de Honduras. Fuimos hasta la iglesia al otro lado del pueblo, donde los sandinistas tenían su propio cuartel para la insurrección. Yo venía electrizado por el ambiente. Esto era en serio. Munición de verdad, órdenes de matar, todo sin tapujo. Aquí se jugaba la vida.

En el lado sandinista me erizaban el pelo las consignas coreadas de cuadra en cuadra, a voz intensa, en un momento desgarrador.

"En la montaña enterraremoooos...
...el corazón del enemigooo."

En eso el sonido de un avión provocó pánico entre todos: la aviación somocista, con pequeñas avionetas, estaba bombardeando el pueblo... para salvarlo. La batalla había comenzado.

En el lado sandinista los "muchachos", como les llamaban, estaban pobremente armados, pero el pueblo era suyo. Fue una insurrección popular. Que los sandinistas se la robaron luego... se la robaron, al igual que Castro se robó años antes la insurrección cubana contra Batista.

Yo veía lo pobremente armado de esos muchachos y recordaba haber visto hacía muy poquito los fusiles ametralladoras, las tanquetas y las bombas de la Guardia. Y cuando se efectuaron los primeros disparos, un instinto de preservación me llevó a irme al lado mejor armado. Fue un error. Yo pensé que así corríamos menos riesgo de morir. Fue al revés, porque la batalla nos cogió entre líneas, cruzando el frente, y recibimos el fuego de los dos lados agazapados en el dintel de una puerta.

Fuimos el único equipo de cámara en cubrir la batalla, y lo hicimos desde adentro. El cruce del lado sandinista al lado somocista lo hicimos ya iniciada la batalla. Fue mi primer cruce de un frente de guerra. El segundo y último lo haría muchos años después, en Kuwait.

Quizás no haya nada más arriesgado que el cruce de un frente de guerra en plena acción. En el dintel de esa puerta en Matagalpa nos cayeron balas de los dos lados. Fue la primera vez que escuché el silbido de la munición. Hubo una bala que pasó tan cerca de mí que sentí su "viento". Acurrucados en el portal donde estábamos, Julio y yo observamos la acción.

La guardia somocista encañonó a un pobre operador de una pala mecánica y lo obligó a subirse y a manejarla hacia los sandinistas para escudarse detrás de la máquina. O lo hacía o lo mataban. Para el operario se trataba de un suicidio seguro. El hombre, de camisa blanca, subió con toda dignidad, arrancó el motor y a marcha muy lenta hizo lo que no le quedó más remedio que hacer. Y la guardia, en fila india escudándose detrás de la pala, avanzó hacia la plaza sandinista. Recuerdo como en cámara lenta el momento en que apareció un puntito rojo en la espalda del tractorista. Fue expandiéndose, como capullo de rosa, hasta cubrirle la espalda. Miré con incredulidad. Fue la primera vez que vi una muerte a bala delante de mí. En ese momento resentí al hidalgo que escogió a ese pobre hombre para escudarse tras él.

Vi al comandante de la guardia de Matagalpa una vez más, dieciocho años después, cuando mendigaba en las calles de Washington. Una madrugada, a eso de las dos de la mañana, junto al único restaurante del área abierto las veinticuatro horas del día, "El Amanecer", me lo volví a encontrar. Estaba en su vehículo, estacionado en el patio del restaurante, donde usualmente se efectuaban transacciones de crack. Yo mendigaba unos dólares en ése, el único lugar con concurrencia de público a esas horas. Él estaba sentado en el asiento delantero, bebiendo. No lo reconocí. Él sí me reconoció. Me dijo: "Descalzi, ven acá, tú no te acuerdas de mí, yo fui el comandante de la plaza de Matagalpa el día en que estalló la insurrección sandinista". Él, según me dijo, estaba haciendo lo mejor posible para borrar el episodio, no sólo de su conciencia, sino también de la conciencia de sus compatriotas. Allí, en su exilio washingtoniano, utilizaba nombres ficticios para dejar atrás al que esa vez comandó la posta de la guardia en Matagalpa. Era otro hombre... en bicicleta. Su huida fuera de sí lo había llevado hasta Washington. Quién sabe si habrá logrado dejar atrás al hidalgo... No creo que sea posible corriendo para afuera. Lo dudo. La única manera de lograrlo es dentro de uno. No se logra corriendo para afuera porque ese hidalgo siempre seguirá a la par, corriendo junto a uno... No, hay que enfrentarlo y quitarlo de en medio.

Nicaragua todavía no se ha encontrado a sí misma. *Quo Vadis* Nicaragua. ¿A dónde vas? Nicaragua continúa en su carrera ciclística. El problema de fondo continúa. El antagonismo interno no se ha resuelto. Los dos lados del ser nicaragüense, su David y su Goliat/Sansón, siguen enfrentados. Todavía hay allí altares a dioses menores, a los dioses de cada cual en su interior y en ellos viven muy bien Sansón y Goliat... Y corren, corren porque se saben feos. David... atropellado bajo sus pies no podrá resurgir en la carrera... Eso sólo se logrará cuando aminoren la velocidad, lentamente. Individualmente. Pacientemente, humildemente. Interiormente.

Pero en fin, de vuelta a la realidad.

Estaba viendo lo que ocurría con ese humilde tractorista de Matagalpa cuando éste se cae sobre su asiento y se interrumpe el avance de la guardia. En el breve alto al fuego que siguió, mi camarógrafo y yo emprendimos la carrera para salir de esa calle de la muerte. Él, cargando la cámara, y yo, cargando la grabadora de cinta de $^3/_4$ de pulgada de esa antigua unidad de video. Tuvimos suerte. Llegamos así de regreso al puente que unía al pueblo con la posta de la Cruz Roja. El puente estaba totalmente al descubierto y cuando lo cruzamos —a toda carrera— no sé quién empezó a dispararnos. No sé si serían guardias o sandinistas. Al otro lado del puente, un grupo de espectadores nos alentaba a gritos a correr. Entre ellos estaba nuestro chofer, Parodi.

A mi regreso al hotel me entró una depresión. Me eché sobre mi cama en el Intercontinental y recuerdo que por más que quise no pude cambiar la expresión de mi rostro. La imagen de la rosa sangrienta en la espalda del tractorista de Matagalpa se quedó conmigo por varios días.

2

Fue una época en que en la América Central se encendían pasiones tanto en la izquierda liberal como en la derecha conservadora. Una de las pasiones de la derecha probaría que ésta no es necesariamente tan conservadora después de todo...

En México se había despertado el apetito oficial por la riqueza. Se había descubierto una bonanza petrolera en el golfo de Yucatán, frente a las costas del estado de Campeche, y la fiebre del oro negro contagió al Estado, su propietario. Fue tal la calentura que le dio que como verdadera fiebre llegó a debilitarlo hasta hacerlo caer sobre sus rodillas económicas. Gobernaba José López Portillo y bajo su administración, con Jorge Díaz Serrano como director de Pemex, se encendió esa fiebre. Desgraciadamente, ese encenderse fue literal en el caso de un pozo llamado Íxtoc, en el mar Caribe frente a la costa de Campeche, en la península de Yucatán. Estaba cerca de una isla, Isla del Carmen, y estaba en llamas. El mar hervía a su alrededor. Billy, mi camarógrafo, y yo fuimos a tomar escenas de esa peculiar ocurrencia: llamas saliendo del mar.

Nos fue dificilísimo acercarnos al pozo.

En los círculos oficiales del México de la época se cocinaban millones de dólares para la plutocracia del país mientras que ésta, en su hidalguía, continuaba volteando la nariz al olor del pueblo que trabajaba su cocina económica... Y no había cocinilla más caliente que la del petróleo. El petróleo, reservado por la revolución mexicana de manera exclusiva para su explotación por parte del Estado, no podía ser explotado por nadie más.

La ironía de la revolución mexicana está en que como toda revolución, ésa fue eventualmente controlada por gente que poco tenía de revolucionaria. Ésa es una de las razones, entre otras, por las que las innumerables revoluciones de la América Latina, incluyendo la mexicana, no han cambiado en nada lo que pretendieron cambiar. ...Porque fueron conducidas con hidalguía, con ese espíritu hidalgo tan despreciativo de lo que la "revolución" estaba llamada a elevar. Continúa así hasta el día de hoy. El mismo revolucionario trata hidalgamente a su pueblo. Basta ver el trato dado a su pueblo por Castro en Cuba. Basta ver cómo Castro le negó a su pueblo el derecho a lo propio. Lo trató como rebaño de ovejas... para cuidarlo del lobo de lo propio, el capitalismo. Porque así es como el hidalgo ha tratado tradicionalmente a su pueblo: como ovejas incapaces de autoconducción. La "conducción" la da el hidalgo.

La actitud de Castro, a pesar de lo que se quiera decir de él, ha sido la de cualquier hidalgo hijo de la conquista. ¡Y se pensó que era revolucionario! Es que el escape de lo suyo es imposible tanto a nivel personal como a nivel nacional.

Las revoluciones son trágicas por lo absurdo de su objetivo: le es tan imposible a una revolución correr fuera de su ser social como a mí me fue escapar de mí mismo en mi desesperada búsqueda del equilibrio... Como si fuera a encontrar ese equilibrio fuera de mí. Igual con las revoluciones, con el añadido de que una vez perdido el impulso original de la revolución, una vez disminuida su marcha tras la explosión que la vio nacer, la revolución pierde el equilibrio y acaba cayendo como cayeron todas, en manos totalitarias —como la francesa en manos de Napoleón—... Y en nuestro caso latinoamericano... en manos hidalgamente totalitarias.

Castro, al igual que los jerarcas de las revoluciones latinoamericanas y los líderes de la entonces Unión Soviética, ninguno de ellos pudo al fin y al cabo escapar a la prisión de sus propios orígenes y revirtieron a ellos por fuerza: al autoritarismo que los vio nacer. Los soviéticos, al autoritarismo de los zares; Castro y nuestros otros líderes "revolucionarios" de la América Latina, al autoritarismo del conquistador. No fue, después de todo, más que un caminante más en un sendero trazado desde siglos atrás por los primeros conquistadores. No recorren, ni él ni nuestros otros revolucionarios criollos, ningún camino nuevo.

Caminante, no hay camino,
se hace camino al andar...

Y estos caminantes revolucionarios nuestros no quieren caminar. Quieren, como buenos hidalgos, ser cargados. Fidel sobre lomos cubanos no fue nada distinto a Somoza sobre espaldas nicaragüenses. Las diferencias son meramente de estilo.

En el caso mexicano, la verdadera naturaleza de su gobierno se dejaba entrever entre las costuras de su camiseta, debido a la pérdida de su impulso "revolucionario" a través de los años y las décadas. Es que el tiempo es malo para las revoluciones. Con la pérdida de su impulso original pierden el equilibrio rápidamente. Son consumidoras tan voraces de todo lo que encuentran a su paso que pronto se ven sin el combustible necesario para alimentar sus calderas. Marx y Engels, que pensaron que la religión era el opio del pueblo... qué sorpresa se hubieran llevado al darse cuenta que las revoluciones son la droga de la sociedad. Su droga de preferencia es el poder... Y se autoinmolan para conservarlo, a no ser que se detengan a tiempo. No suelen hacerlo por la casi patética ambición de sus personajes centrales... Invariablemente aparece un Goliat tratando de entronarse en medio de ellas.

En México, la revolución empezó a quemar petróleo para alimentar sus calderas. Cuando el petróleo apareció en las costas de Campeche, el presidente López Portillo apostó a él... y cayó como cualquier adicto. Apostó muy duro al petróleo porque después de todo... quería ser un buen hidalgo, quería tener su herencia, quería pertenecer al mundo de los que tienen algo. López Portillo cometió en eso una terrible imprudencia: cayó presa del juego. El carácter autoinmolatorio de las revoluciones tuvo en él un buen representante por esa razón añadida: se volvió apostador, se creyó fuerte por tener un producto rico, el petróleo. Pero la riqueza no fortalece... por sí misma.

José López Portillo gobernó entre dos presidentes estadounidenses: Jimmy Carter y Ronald Reagan. Con Carter, el moralista, el cártel del petróleo, dominado por los árabes, hizo lo que quiso. Se vengaron de él por los muchos desaires, reales e imaginarios, que habían sufrido. Lo hicieron alzando vertiginosamente el precio del crudo. López Portillo, aprovechando su inesperada bonanza, endeudó hasta la camiseta gubernamental de México para inversiones "visionarias". La visión le salió miope. Al entrar Ronald Reagan al poder, él cambia rápidamente la estrategia estadounidense. Las tazas de interés se van para arriba. Estados Unidos apuesta al crecimiento con inflación, al mismo tiempo que le pone la mano al precio del petróleo para detener su alza, y logra así volver al *status quo ante bellum*, a la situación anterior a la guerra de los precios del combustible. Esto deja a México nueva y sólidamente fuera del campo de juego de los países ricos. Y López Portillo, que había prometido defender la estabilidad de su moneda "como un perro", se ve obligado a devaluarla drásticamente para poder subsistir en el mundo de las finanzas. Por eso, después a la colina sobre la cual López Portillo edificó su mansión se le llamó la... "Colina del Perro".

En fin, todo hubiese estado muy bien si al menos hubiese habido honestidad en los errores. Pero hubo también aprovechamiento.

Desde la época de Lázaro Cárdenas, quizás uno de los últimos gobernantes de México que algo, aunque sea un poquito, de verdaderamente revolucionarios tuvieron en el siglo XX, antes de que sobreviniesen los hidalgos, desde entonces había quedado explícitamente prohibida toda participación extranjera en la explotación del petróleo mexicano.

El pozo Íxtoc estaba siendo taladrado por una empresa llamada Permargo, Perforaciones Marinas del Golfo. La compañía había sido contratada por Jorge Díaz Serrano, el director general de Pemex, Petróleos Mexicanos. Nuestra llegada a Íxtoc demandó sagacidad. Volamos de la ciudad de México a Villahermosa en un avión de Aeroméxico. Allí alquilamos una avioneta manejada por uno de esos pilotos que sólo nuestros pueblos son capaces de producir. Era el equivalente de aquellos que reparan sus automóviles con alambre y papel. Volamos bajo, hacia Ciudad del Carmen. Llegados allí nos fue imposible lograr que Pemex nos facilitara acceso al pozo. Previamente en la ciudad de México, el mismo Díaz Serrano nos había prometido toda su colaboración. Sentado en su imponente escritorio en el ultramoderno rascacielos que dominaba la ciudad, debajo de su helipuerto en el techo del edificio, Díaz Serrano parecía la personificación del dios que derramaría bendiciones sobre su pueblo. Sobre mí derramó promesas de ayuda, pero pese a ellas no logramos avanzar milímetro en dirección final a las llamas.

El petróleo derramado en Íxtoc estaba siendo arrastrado por vientos y mareas hasta la costa de Texas, contaminando particularmente la Isla del Padre, un santuario de la naturaleza cerca de la ciudad de Corpus Christi.

Esperando en Isla del Carmen a ver qué pasaba llegó en eso un remolcador, de los que jalan víveres y provisiones para la explotación marina. Se dirigía a Íxtoc a aprovisionar a quienes se dedicaban a tirar chorros de agua al pozo. La inutilidad de esa tarea debe haber sido evidente. El Íxtoc, pozo submarino, estaba rodeado de todo el océano del mundo y aun así ardía. El océano a su alrededor hervía. Eventualmente trajeron al legendario texano Red Adair a apagar el incendio. Lo hizo en pocos días. Luego me lo encontraría en otra conflagración petrolera, de mayores dimensiones: en los incendios petroleros de Kuwait, cuyo humo cubrió el cielo de horizonte a horizonte.

La mencionada barca que se dirigía a Íxtoc estaba capitaneada por un escocés. Yo que siempre les tuve simpatía a esos hombres le caí "simpático" al escocés. Le hice y aceptó mi propuesta de llevarme a Íxtoc sin comunicarle nada a quien lo contrató, Pemex.

Llegamos al pozo en llamas. El traslado a la plataforma de contención fue una de esas peripecias de transbordo en alta mar. Vi con gran asombro cómo el mismo mar, el refrigerante natural del planeta, hervía. Me impresionó el poder que emanaba. Empezamos a grabar. Y en eso nos detuvieron. La persona a cargo del lugar en menos de media hora tenía un helicóptero en la plataforma y nos sacó de allí. No habían tenido cómo llevarnos al pozo, pero una vez allí en media hora tenían un helicóptero dedicado exclusivamente a sacarnos...

Permargo, la compañía perforadora del pozo —me enteré—, había resultado ser propiedad nada menos que... entre otros accionistas, del presidente de Pemex, Díaz Serrano... y del entonces gobernador de Texas, Bill Clemens. Con razón Texas nunca demandó a México para que pagara los costos de la limpieza de sus costas contaminadas por el Íxtoc. Con razón Pemex nunca enjuició a la compañía responsable de la explosión del pozo... Lo curioso es que el gobierno de México tampoco hizo cosa alguna teniendo a un extranjero, Clemens, como partícipe en la explotación de su petróleo, a pesar de la prohibición existente. Díaz Serrano sería encarcelado en el siguiente gobierno, pero, en su Colina del Perro, López Portillo no sería tocado directamente ni por ése ni por ningún otro escándalo de su administración.

Ay de la curiosa esquizofrenia latinoamericana. López Portillo no sólo quería con su aventura petrolera ubicar a su país entre los grandes jugadores del mundo capitalista. Quería al mismo tiempo presidir el club de los países pobres. Quería ser su líder, una especie de príncipe de los mendigos a nivel mundial. Y para eso organizó la curiosa conferencia "Norte-Sur" de Cancún en 1981.

***

Mi vida había sufrido grandes cambios para ese entonces. A mi vuelta de Íxtoc a San Francisco, mi jefe me había trasladado a Nueva York para que trabajase en la cobertura de las elecciones

55

presidenciales de 1980. Fue la primera vez que enlazamos vía satélite a la cadena de la Spanish International Network. Se trataría para la televisión en español en Estados Unidos de uno de esos momentos culminantes, de los cuales no hay marcha atrás.

La televisión hispana no pasaba en ese tiempo de ser un acontecimiento folclórico dentro del mundo de la televisión estadounidense. El auge que luego cobraría se debió fundamentalmente a dos factores: a que el pueblo hispano en Estados Unidos es inmenso, alrededor de unos 35 millones en el momento que escribo; y a que ésta es una democracia descarnadamente capitalista.

En Estados Unidos, como en todas partes, el capital es de varios tipos. El mundo del capital financiero ya se había dado cuenta de la importancia del mercado hispano, y el mundo del poder quería explotar en el hispano otro tipo de capital, su capital político, el cual surge y reverdece con toda lozanía en este país cada cuatro años —con cada elección presidencial—. Las curvas de los dos mercados —el monetario y el político— coincidieron en 1980 montándose como olas una sobre otra, creando una inmensa cresta que la Spanish International Network, con René Anselmo a su cabeza, corrió como en competencia mundial de tabla hawaiana... Anselmo, campeón mundial del equilibrio a velocidad.

Treinta y cinco millones de potenciales electores hispanos son, indudablemente, un capital político considerable. Y es así que cada cuatro años, cuando llega el momento de las elecciones en este país, llegar con su mensaje a estos 35 millones cobra repentina importancia en la conciencia de los políticos estadounidenses.

Parece mentira cómo hoy damos por sentada la importancia del hispano en Estados Unidos... En ese tiempo, 1980, la hispanidad todavía como que vivía agachando la cabeza y escondiéndose dentro del país, algo así como temerosa de ser descubierta. El himno hispano de la época en Estados Unidos bien podría haber sido "La Cucaracha", por nuestra tendencia, como cucarachas, a aceptar la oscuridad... y también porque de cuando en cuando, como a ellas, nos caían también a manotazos, con periódicos enrollados... Porque sí, fue más de una la ocasión en que los periódicos del país fueron utilizados en campañas antiinmigrantes y antihispanas.

Anselmo y SIN ayudaron a que el hispano sacara la cabeza a la luz pública en este país.

***

Un día de julio en 1980 estaba entrando a mi oficina en Park Avenue, Nueva York, cuando mi jefe inmediato, Leandro Blanco, me dijo que había tenido una llamada de Jody Powell, el secretario de prensa de Jimmy Carter. El presidente, me dijo Powell, quería darnos una entrevista...

Qué cosa más interesante, imagínense, que el presidente de Estados Unidos haya querido que yo, Guillermo Descalzi, lo entre-vistara en SIN. Éramos un diminuto medio transmitiendo en un idioma minoritario a una minoría del país... Era más bien yo quien debía estar deseoso de entrevistar al presidente, pero no me atrevía ni a pedirlo.

Era año electoral y las encuestas no eran halagadoras para Jimmy Carter. El ayatollah Jomeini se había ensañado con él y en Irán refregaban el piso con efigies de su rostro y con banderas de Estados Unidos. Es en medio de esa turbulencia que el extremadamente moral, honorable y profundamente religioso Carter se puso a buscar su salvación política hasta en los lugares más recónditos de la fábrica social de Estados Unidos. Fue ésa quizás la primera vez que hubo una aproximación concertada al electorado hispano en una carrera presidencial. Para mí fue bonanza de pescadores. De pronto bebían de mi plato el gato, el perro y el ratón: Ronald Reagan, Jimmy Carter y el tercer hombre en busca de la cima política de ese año, John Anderson. Mientras los grandes astros de la televisión en Estados Unidos se disputaban a los candidatos, yo humildemente los conseguía en exclusiva por el mero hecho de estar en el lugar correcto en el momento adecuado: por ser el reportero hispano más conocido de la en ese entonces única cadena hispana de televisión en el país.

Cómo había cambiado mi vida en esos dos años desde 1978 cuando me dejó atrás el jet Lear en el aeropuerto de Tocontín. Ahora me buscaban, pero ni eso me permitió aminorar la carrera. Continué a toda velocidad porque si me detenía, me caía. Es que seguía corriendo de mí mismo. Seguía en mi circo de tres pistas, trabajando hasta el cansancio de día y bebiendo y fumando hasta el cansancio de noche, y procurando mantener una familia. Mi éxito exterior para nada afianzaba mi ser interior. Seguía siendo el mismo Guillermo Descalzi asustado que había sido desde niño.

A Jimmy Carter lo vi por primera vez en persona en 1976, en San José, California, durante una gira electoral. Le disputaba la presidencia al entonces presidente en funciones, Gerald Ford. Carter, el honorable, el religioso, el poseedor de un certero compás moral, era precisamente lo que el elector americano necesitaba en ese instante. El país luchaba por salir de una de las etapas más traumáticas de su historia, pero al hacerlo había saltado de la sartén al fuego. Había salido de la guerra de Vietnam para caer en los escándalos de la presidencia de Richard Nixon. Sus líderes de la década anterior o habían sido asesinados o se habían retirado en derrota o vergüenza.

El presidente Gerald Ford representaba en ese momento la continuación de un régimen desprestigiado. Como sucesor de Nixon fue tomado también como heredero de su manto. Para nada le ayudaron ni su lealtad al partido ni su casi inocente fe en que apaciguaría las aguas perdonando a Nixon. El caso es que Carter, el de los ojos tan grandes que casi parecía querérselo comer a uno con la fuerza de su conciencia; ese Carter era no sólo lo que el electorado buscaba, sino también lo que el país necesitaba.

La década de los sesenta en Estados Unidos dio entre otras cosas la ópera rock *Jesucristo Superestrella*. Cuando la vi, en 1969 en Buffalo, Nueva York, pensé en cuán fuerte era el poder de atracción de lo espiritual que hasta en el rock brillaba la estrella de Jesucristo. En 1976, Jimmy Carter irrumpió en la conciencia del país como la superestrella que restauraría el espíritu de la nación en la ópera rock que vivía el país en esa época. Carter, el del certero compás moral, el hombre que no hubiese pensado ni por un momento en verse envuelto en el frenesí de las estrellas, fue recibido como superestrella.

Ese mismo Carter fue víctima luego de su propio estrellato y cuando me buscó en 1980 era porque... ya se había estrellado... Pero aquella vez en el verano de 1976, cuando lo vi por primera vez en San José, California, me di cuenta en la reacción del público de cuán grande era el ansia de limpieza de este país... y me convencí de que Carter el Limpio iba por eso a ser el próximo presidente de Estados Unidos. Pero cuán efímera son la gloria y la victoria, cuánto pesa la billetera en este país y cuán seriamente se toma aquí eso del "derecho a la búsqueda de la felicidad".

Porque tan perennizado está en la declaración de la independencia americana el derecho de todos a buscar la felicidad que el ciudadano común y corriente ha llegado a creer que la búsqueda de la felicidad no sólo es un derecho, sino que es un deber... Y la búsqueda de la felicidad se ha convertido en algo así como las riendas que conducen al público en su vuelta por el hipódromo de la vida. Y hay algo más: hay confusión en ese hipódromo. Las anteojeras del caballo han hecho que confunda felicidad con satisfacción. Para mí, en mi búsqueda de equilibrio, esa confusión fue tremenda. Confundí felicidad con satisfacción, algo muy de acuerdo con el hedonismo y con el escape y disolución en droga y alcohol tan prevaleciente en algunos sectores de esta sociedad americana. Yo caí como gota al agua en ese ambiente y me dediqué ya no a la búsqueda de la felicidad, sino a la búsqueda de la satisfacción. Años después, en las calles de Washington, me daría cuenta del "equívoco malo" que es dedicar la vida a eso. Es tan grave como pasar la vida en busca del dolor. Son extremos que —por extremos— quitan precisamente el equilibrio necesario para la vida. De esa frasecita, el "derecho a la búsqueda de la felicidad", parece salir todo ese mundo de excesos tan curiosamente estadounidenses como la generación de las flores y el amor en los años sesenta, la subcultura de las drogas y los matrimonios en serie estilo Hollywood. La felicidad tan altamente encumbrada es fácilmente confundida con el placer y la satisfacción, la falsa moneda de la felicidad... El placer busca llenarse con satisfacción. Es precisamente eso lo que yo hice, el error en el que incurrí y que me llevaría a vivir *full-time*, a tiempo completo, en las calles de Washington. En fin, sólo años después, tras mi peregrinación en las calles, me daría cuenta de que la búsqueda de la felicidad es tan errada como guía de conducta como lo es colocar el dolor como pauta del comportamiento. Lo uno lleva al hedonismo, lo otro al sadismo.

En todo caso, esta sociedad americana, tan acostumbrada a su felicidad, no aguantó mucho el austero moralismo de Jimmy Carter. Su compás moral tan certero en el mundo del espíritu se perdió en el mundo de la política mundial. Fue manipulado por los enemigos de Israel, por la revolución de los ayatollahs en Irán, por los comandantes sandinistas en la América Central, por Omar Torrijos en Panamá y por muchos más. El resultado concreto en Estados Unidos fue que el precio de la gasolina se disparó. Carter declaró el "equivalente moral de la guerra" y el público lo ridiculizó. Se empecinó en buscar nuevas y utópicas fuentes de energía... pero la economía continuó yéndose para abajo y el electorado, que había visto antes en él a su salvador moral, esta vez vio en él a un perdedor real. Sintió más que vio en su moralismo un obstáculo a su derecho a la búsqueda de la felicidad... y lo rechazó. La economía se estaba enturbiando y el país le dio la espalda a Carter y eligió a Ronald Reagan.

***

Esa vez en 1980, cuando entrevisté a Jimmy Carter, fue la primera vez que entré a la Casa Blanca. Llegamos el camarógrafo Billy Nieves, el productor Frank Marrero y yo, cargando una inmensa y ahora primitiva cámara Phillips Thompson que luego nos robarían en las Bahamas. Yo me compré un traje (todavía lo recuerdo) en honor a la ocasión. Pasamos primero a la sala de prensa, donde nos tocó esperar unos momentos. Allí estaban las grandes figuras del periodismo de ese entonces. Estaba Jessica Savitch. Poco me imaginé que mi historia se parecería a la de ella en los años por venir. Sam Donaldson ya estaba allí. Miramos a nuestro alrededor y nos quedamos deslumbrados. Me acuerdo que después de la entrevista nos quedamos a la rueda de prensa usual y me dio miedo alzar la mano entre tanto hombre de prensa, no fuera que me dieran la oportunidad de hacer una pregunta e hiciese el ridículo frente a estas luces del periodismo nacional.

Es que la inseguridad me seguía. No había logrado desligarme de ella por mucho que corriese. Sufría de esa extraña inseguridad que provoca altanería defensiva en quien la padece. Para afuera yo era altanero. Para adentro... inseguro. Las inseguridades que albergaba de mi origen se extendieron en Estados Unidos a todo lo que me rodeaba...

He escuchado en Alcohólicos Anónimos que no existen "curas geográficas". Que por más que uno vaya a donde vaya tratando de escapar a sus problemas, éstos lo siguen a uno. Que la cura se encuentra únicamente al interior del ser. Y es cierto. Mi fuga geográfica a Estados Unidos sólo llevó a que mis inseguridades me siguiesen aquí... tanto en lo personal como en lo profesional, sólo que en lo profesional esa inseguridad se manifestó como "éxito". ¿Curioso, no?... pero detrás de muchos "éxitos" lo que hay es un miedo terrible al fracaso. De allí provenía, al menos en parte, la rápida escalada que estaba efectuando en el mundo de la TV, y lejos de darme seguridad me hacía más bien sentir fuera de mi elemento, como alguien que ha incursionado más allá de las fronteras de lo conocido. El problema para mí era mayor aún cuando se tiene en cuenta que ni dentro de terreno conocido me había sentido seguro. Nunca había aprendido a aceptar a quien yo era. No aceptaba a mi yo altanero, seguro en la superioridad de su conocimiento y su herencia familiar, un yo castigador e implacable en defensa de la superioridad que su herencia dictaba... ni aceptaba a mi yo inseguro, convencido de su propia incapacidad. Y no los aceptaba porque el primero era un maltratador, arrogante, y el segundo un maltratado, temeroso. Y cuando llegué a la cúspide profesional no me pude aceptar tampoco allí porque mi llegada a ella era producto del miedo, porque no había aprendido de manera alguna a amar lo que quería ... ni a querer lo que amaba. Siempre había abandonado mis conquistas, rechazando mis logros en busca de algo más que lograse tapar el vacío central de mi vida.

Amar es distinto a querer. El amor es generoso, todo lo acepta, todo lo aguanta. El amar entrega, es paciente, perdona, siembra y cultiva.

Querer es egoísta, intolerante, no aguanta desafío. Querer pide para sí, es impaciente, no perdona, cosecha.

Por eso hay que amar mucho y querer... sólo un poquito, muy poquito. Querer es la sal del amor. Demasiado querer y se sala el amor.

Hay que saber cómo amar y cómo querer en la medida adecuada: amar sin medida, querer un poquito. David ama, Goliat quiere. Amar es del espíritu, querer de la persona. Yo no sabía ni amar lo que quería ni querer lo que amaba.

Hay que amar y querer a la vez... en la medida correcta. Ambos, el espíritu y la persona, tienen que ser satisfechos... De lo contrario, se rechaza lo amado y se odia lo querido, un mal común del cual yo padecí durante muchísimo tiempo.

Pero durante todo este tiempo subsistió también el humilde y espiritual David dentro de mí. Ése era el otro yo en la dualidad de mi ser. Creo que en nadie acaba de morir ese pequeño, sino hasta el instante mismo de su muerte física... ¡y aun entonces! siempre existe en uno la chispita del amor que puede volver a encenderse... y a pesar de todo esa chispita dentro de mí siguió dándome la fuerza necesaria para continuar a través de los años.

Es una chispita que parece haber quedado huérfana de leche materna en la América Latina. Vivimos con tan poco amor los unos para con los otros que nuestras vidas son más pose inerte que vida real... Y es en esa pose que desarrollamos la peculiar esquizofrenia del ser tan propia a nuestras sociedades. Somos hijos de una herencia peculiarmente carente de sustancia y abundante en forma. Poco amor. Demasiado querer.

Y así, así es como hice mi primer ingreso a la Casa Blanca y efectué mi primera entrevista presidencial en exclusiva. Me fue duro porque tuve que presentar una forma que en buena medida carecía de vida. Y en la conferencia de prensa diaria de la Casa Blanca, esa dureza mía se manifestó en pánico interior ante la posibilidad de que el secretario de prensa me señalase a mí y yo tuviera que hacer alguna pregunta. ¿Saben? Ese pánico lo continué sintiendo hasta el momento mismo en que me fui a vivir a la calle. Recién se resolvió, desapareció, cuando aprendí a ser real. Cuando tomé el paso de mostrarme ante todos tal y como era... cuando renací... Porque el renacer es concreto, no es teórico. Es real. Consiste en empezar a vivir en la verdad. Y es entonces que nos llega la gracia que prometen los sacramentos. Esa gracia empieza con la disolución del temor. El temor sencillamente se disuelve porque cuando llega la verdad a la vida de uno no queda más mentira que proteger... No hay más razón para nerviosismo. Nadie va a ser "descubierto". Y entonces empieza uno a vivir en amor. Es un producto de la verdad. El amor disuelve los temores y nos llenamos de la fuerza de la verdad. Yo, mientras tanto, en vano buscaba esa disolución de día en día en el refugio de mi vida hedonista.

***

A Jimmy Carter lo entrevisté por primera vez en uno de los salones del sótano de la Casa Blanca. Ese día me alojé a cuerpo de rey en el hotel Hay Adams, al frente mismo de donde Carter dormía, a 500 dólares diarios del año 80. Mi jefe había decidido hacerme llegar a lo grande, pero ni eso atenuó la trepidación que sentí al entrar a la sala de la entrevista. Mi estado mejoró cuando llegó Carter. El suyo era un espíritu afín. Era después de todo si bien no un aristócrata latinoamericano, al menos un aristócrata del sur, y compartíamos varias características. El reconocimiento de esa realidad me hizo sentir más cómodo. Carter, con sus ojazos redondos tan abiertos como lunas llenas que querían devorárselo a uno, era un hombre cuya fisonomía era en parte producto también de su inseguridad. Carter era, como yo, víctima de una curiosa dureza: era casi incapaz de mantener una conversación superficial. Se sentía cómodo, en cambio, conversando de temas profundos, desligados de personalismo, así es que cuando la grabación se interrumpía descendía un extraño silencio sobre la sala. Era un Carter que se sentía cómodo en su función oficial, pero no en el contacto personal. Yo le ganaba: yo no me sentía cómodo en ninguna de las dos instancias. Para ese entonces yo ya bebía mucho después de terminado el trabajo y era un diario fumador de mariguana. No me daba cuenta de lo mucho que lo hacía, y la fuga de la realidad que el alcohol y la droga me daban era un descanso sin el cual no podía continuar. No tenía el valor de enfrentarme a mi realidad interna. Se me había inculcado desde mi niñez a ser incólume y no me atrevía a ver con honestidad al ser imperfecto que habitaba dentro de mí.

Cuando, años después, fui obligado por mi segunda esposa a verme en mi interior, me asusté tanto de lo que vi que lejos de componerme me metí más aún en la espiral del vicio.

Fue poco después de esa primera entrevista presidencial, con Jimmy Carter, que López Portillo organizó su conferencia Norte-Sur de Cancún.

López Portillo era un presidente que pretendía sentirse cómodo en sus dos papeles, el público y el privado. Y en ambos quería jugar tanto el papel de rico como de pobre. Se creía maestro titiritero y creyó que su acto, como el de Pinocho, cobraría vida real. Adolecía profundamente de la duplicidad espiritual de los hijos de la conquista. Le tocó gobernar entre dos presidentes muy disímiles en Estados Unidos, Carter y Reagan, y el curso de su presidencia cambió drásticamente con el giro que tuvo la conducción de la política estadounidense. El león meneó la cola y el ratón que estaba prendido de ella salió disparado sin tan siquiera percatarse de lo que había pasado.

Reagan fue mi siguiente entrevista. Con la entrevista a Carter en el bolsillo, conseguir una exclusiva con el candidato Reagan fue relativamente sencillo.

Todavía se le llamaba "gobernador" y no presidente. Lo vi en su Los Ángeles querido, en un hotel cercano al aeropuerto. Me impresionó su cara de muñeco de porcelana, con las mejillas chaposas como si le acabaran de aplicar pintura al rostro. Su lustroso cabello negro lucía al mismo tiempo tan natural y tan irreal en él como sus chapas de porcelana china. Era un hombre suave, dotado de todo el don de gentes de la aristocracia americana. Su aristocracia, a pesar de no llegarle por herencia, la llevaba en las venas. Era algo muy propio del enrarecido mundo de la pantalla americana. Y al igual que Carter en su momento, Reagan estaba dotado precisamente de las características personales que necesitaba el bienestar anímico del electorado estadounidense en el instante mismo de su elección.

Al electorado le había dejado de importar la sustancia moral. Es como si se hubiera convertido en realidad ese dicho de que "de lo bueno, poco". Carter "el bueno" había hastiado rápidamente al electorado estadounidense. El ayatollah Ruhollah Jomeini se había ensañado con el religioso y espiritual Jimmy... ¿Por qué? Quién sabe, pero quizás algo tuviese que ver con eso de que siendo Jomeini un absolutista religioso de la más intransigente especie, él viese en el absolutamente liberal espiritualismo religioso de Carter algo que Jomeini no podía de manera alguna tolerar.

Lo que recuerdo de esa entrevista con Reagan es que me impresionó su don de gentes. Entre el populista Carter y el aristocrático Reagan, era el aristócrata y no el populista el que se sentía cómodo en la compañía de otros. Había algo allí que yo tenía que aprender, pero no sabía qué. ¿De dónde venía la seguridad de Reagan, por qué se sentía tan a gusto consigo mismo? ¿Qué sabía él que no supiese yo?

Años después, en la soledad de la calle, me daría cuenta de lo que era: Reagan, el actor, sabía que todo ser humano actúa y que no hay que temerle al teatro porque no es nada más que eso: teatro. Sabía que en el fondo, tras las cortinas de su actuación, se esconden seres tan asustados que lejos de tenerles miedo hay más bien que tenerles lástima. Reagan quizás no tenía mucha lástima por su prójimo... pero ciertamente tampoco le tenía miedo. En consecuencia, no necesitaba ser implacable por fuera, como parecía serlo Carter, el hombre de severidad en el rostro grabada. Con esa severidad, Carter se defendía de su alrededor. Reagan, en cambio, era al revés: implacable por dentro y suave por fuera, exactamente lo contrario a su rival demócrata. Es por eso que el electorado lo eligió.

En mi exilio callejero yo aprendería algo más aún: que la dureza es débil... siempre. Que en el mundo la suavidad tanto hacia afuera como hacia adentro logra más que la dureza; que el trato duro es débil y quebrantable. Que en la suavidad y la dulzura hay fortaleza...

La elección de Reagan no sorprendió a nadie. Tras ella, como ya se ha hecho costumbre, se reunió por separado con sus colegas de los países vecinos, México y Canadá.

Con José López Portillo se reunió en una tarde soleada en Tijuana. A mí me tocó cubrir la ocasión para el primer noticiero nacional de televisión en español, el Noticiero Nacional SIN, que acababa de ser inaugurado.

Era para nosotros en SIN una época de aventura. Mi adicta y escapista persona encontraba en ese mundo el vehículo perfecto para su supervivencia. Los cambios constantes de atención y el ajetreo diario me permitían correr lo suficiente como para dejar atrás mi inseguridad y mis temores. Era un escape "profesional" que iba mano a mano con mi escape "personal", el de las drogas y el alcohol. Fue un escape que, como es obvio, terminó en caída: es que las mentiras... tienen patitas cortas. Allí, siguiendo muy de cerca a mi persona escapista, como el chicle que uno se quiere quitar del zapato pero no puede, así me seguían a mí todas las dudas y los temores que quería dejar atrás. Más aún, en vez de

66

quedarse quietos, éstos irían creciendo lenta pero inexorablemente en los años por venir. Por otro lado, mi bien afinada maquinaria exterior me permitía progresar en el campo profesional. La ocupación que había elegido como periodista parecía ser la acertada. Quién sabe qué hubiese pasado si en mi desequilibrio no hubiese encontrado un vehículo como el de la televisión para mi desarrollo profesional.

Mi vida podía en esos años haber sido caricaturizada usando una de esas máscaras del teatro griego clásico... con una sonrisa por un lado y con una mueca por el otro. Llevaba a cuestas tanto la tragedia como la comedia. Pero era la comedia la que le mostraba al mundo, con un humor cínico, incisivo e infantil. La tragedia la ocultaba dentro de mí.

***

SIN llegó a Washington con unas camisetas negras inscritas con "SIN on the Hill", "pecado" en la colina... en la colina del Capitolio, esto es, donde ubicamos nuestras oficinas. Era para mí una broma. No me daba cuenta de la ironía que había en que yo llevase puesta una de esas camisetas. Y con una de ellas fui a Tijuana cuando se reunieron por primera vez como presidentes José López Portillo y Ronald Reagan.

En Tijuana, acompañando a la delegación del presidente mexicano, estaba un economista muy competente que luego, en mi época de mendigo, sería el embajador de su país en Washington. El futuro embajador llevaba el encargo, entre otras cosas, de dejar una buena impresión en la prensa estadounidense. De mí ya había recibido noticias, según me dijo, "puesto que mi labor era extraordinaria". Y como para premiarme me regaló una moneda de plata conmemorativa de alguna ocasión. En fin, no le di mucha importancia al hecho, pero sí recuerdo que me trató efusivamente las veces que lo vi en años subsiguientes... hasta que quedé en la calle.

En 1995, el mismo personaje ocupaba el cargo de embajador en Washington. El Instituto Cultural Mexicano, dependencia de su embajada, quedaba en el corazón del barrio hispano de la ciudad, sobre la calle 16, muy cerca a su esquina con la calle Columbia. Yo "vivía" muy cerca de allí. Llevaba un hueco de hambre eterno en el estómago. La poca comida que conseguía no lograba taparlo nunca. "Vivía" en una mansión abandonada tras un incendio, a una cuadra y media del Instituto Cultural Mexicano, al frente precisamente de la sección de intereses de Cuba. Un buen día, en el verano del 95, muerto de hambre como de costumbre, estaba caminando hacia "mi" casa cuando vi un montón de gente agolpada a la entrada del instituto. Se trataba de una recepción a los miembros de la selección mexicana de futbol, presente en Washington para un partido de exhibición con el seleccionado de Estados Unidos, y tras el partido, el embajador había invitado a los jugadores y a la prensa a comer algunos bocadillos. Desde la calle pude percibir el olor del cielo... y sin más, me metí a la embajada a comer. Después de todo, el embajador me conocía y me había tratado bien en el pasado. Cuál no sería mi sorpresa cuando después de unos minutos se me acercaron varios hombres a decirme que el embajador, el mismo que había premiado mi "extraordinaria labor", esa misma persona había ordenado que me sacaran de la embajada porque "no estaba correctamente vestido"... y me echaron. Lo que me dolió fue que lo hicieron sin dejarme probar un solo bocado. Mi presencia confundía...

Definir al ser con la persona, con la manera como se presenta, confundirlo con la situación de su vida... es muy común. Y aunque hay una relación estrecha entre esencia y existencia, éstas son, después de todo, cosas distintas.

Reflexión filosófica de la calle (1)

Una cosa es lo que somos. Otra es la manera en que somos, incluyendo en esto la posición que ocupamos en la vida, las posesiones que tenemos, la fama y el dinero, la familia y las relaciones que nos rodean, y todo lo que existe en general.

Para unos su ser emana de su existencia, es una emanación de su persona. Para otros la existencia de la persona es un producto de la esencia del ser. En realidad no importa qué provenga de qué, si el huevo de la gallina o si la gallina del huevo. Lo que importa es que son dos cosas distintas que generalmente se confunden. Confundimos lo que somos con la manera como somos. Ése es el punto de partida del materialismo. Pero no es así.

El ser es muchísimo más que la persona de su existir y es también muchísimo más que su expresión en cualquier momento dado. Para aquellos cuyo punto de vista es materialista, el ser se define por la persona y ésta por la manera como existe. Para ellos el valor del ser y el valor de su situación son casi lo mismo. Tanto tengo, tanto valgo. El embajador pensaba que ahora yo no valía... En realidad era cuando estaba recobrando mi valor real. Fue recién al despojarme de la pretensión, cuando me despojé de la forma que anquilosaba mi ser, que empecé a vivir la verdad. Y es que el valor del ser no depende de la condición de su existencia. Pero confundirlos es algo común en el mundo, tan común que no nos damos cuenta de ello. Vivimos en esa confusión. Está en el aire que respiramos. Y sólo cuando nos demos cuenta de esa confusión, con la que además nos juzgamos a nosotros mismos, podremos empezar a valorar adecuadamente a los demás. Es una confusión que ocurre muy especialmente en la América Latina, tanto entre nosotros los hijos del conquistador como en el humilde y desposeído hijo del conquistado.

El valor de la persona no radica en su condición. Radica, si se quiere, más en su dirección... ¿Hacia dónde corres? ¿Hacia afuera, escapando de ti mismo? ¿O hacia adentro, buscando tu encuentro?

El valor de la persona también se puede medir en la profundidad en la que ha quedado enterrado dentro de su ser el pequeño David que empieza a ser arrollado desde muy temprano por los Goliat del alma. Es David el depositario del amor y la verdad. Busca cuán hondo están enterrados dentro de ti el amor y la verdad y tendrás una medida aproximada del valor de tu persona... El valor del ser está más allá del "con qué se vive" y del "cómo se vive"... Y en el fondo el único juez de él es Dios. A nosotros sólo nos queda amar. Amando transformamos nuestro desprecio en compasión y nuestro rechazo en caridad. Amando transmitimos valor y nos lo damos a nosotros mismos.

***

De regreso a Washington, luego de la entrevista en Tijuana, la compañía me mandó finalmente a la famosa conferencia Norte-Sur. López Portillo quería su asiento en el club de los ricos y quería su banco en el comedor de los pobres. La conferencia Norte–Sur no dejó nada. Le costó a México una millonada. Congregó a Indira Gandhi, a Fidel Castro, a Carlos Andrés Pérez, a Ronald Reagan y a cuanto líder hubiera con afán de figuración en el mundo. Fue el último grito de López Portillo antes de que se diese de cara con la realidad. Era 1981. Yo mismo vivía en esos dos mundos de más maneras que una. Muchísimos latinoamericanos vivíamos así, sentados en dos lugares a la vez, viviendo la pretensión de estar en dos sitios por más imposible que eso fuese. Yo era pretencioso. Creía que mi sitio en la vida estaba más allá de donde me encontraba.

Nuestras sociedades a nivel nacional tienen mucho de eso, y eso las debilita. Pretenden ser lo que no son, estar donde no están. Es una ficción que las falsea. Proviene de nuestra duplicidad sociocultural. Somos unos pretenciosos que en alguna medida creemos pertenecer al norte desarrollado cuando en realidad estamos sólidamente sentados en el sur subdesarrollado.

Un altísimo ejecutivo de la televisión en español a nivel continental apodado "El Tigre" le dijo a una colega que trabajaba con ahínco para lograr una buena cobertura de la reunión: "No te preocupes tanto, tómalo suave, nada con la corriente. En noticieros ya todo está hecho... 'Nosotros' tenemos acceso al satélite, al cable y a CNN. Para enterarnos de lo que pasa tenemos eso... Lo que tenemos que hacer no es noticias, es entretenimiento, novelas". Así lo dijo. "El Tigre" era uno de los convencidos de su ubicación en dos mundos. Sí, los ricos... con CNN y satélites. ¿Los pobres? Lo que necesitan es entretenimiento.

Suya era la concepción "telenovela" que tenían los noticieros latinoamericanos de ese entonces y que todavía existe en muchísimos noticieros del continente en la actualidad. Es una concepción que personifica esa realidad doble de nuestros países y pretende darle vida en la pantalla: inventa una realidad que, como Pinocho, cobrará vida propia.

En la concepción novelesca del noticiero latinoamericano de ese entonces, la realidad se construía de afuera hacia adentro. Se armaba para consumo público un esquema cuidadosamente estructurado y era presentado sistemáticamente hasta que llegase a constituir la única representación de la realidad... hasta que llegase a suplantarla.

Es una práctica que maltrató tanto al de arriba como al de abajo porque falseó, debilitó y humilló. El retrato del mundo propio que presentan los medios de comunicación latinoamericanos suele ser enfermizo y enfermante porque tergiversa la realidad. Cuando nuestra mujer cobriza ve sólo a diosas occidentales como heroínas de su acción... cuando nuestro hombre pobre, pobre, ve sólo a personas encorbatadas como ejemplo de lo digno... ¿dónde queda entonces el valor de su ser? ¿Y dónde quedamos los de "nuestra clase" cuando rechazamos lo nuestro? Pero en fin, ése es el "discreto encanto de la burguesía" que nuestros medios de comunicación propalan en la América Latina en general.

***

Al principio de la administración Reagan, ese "discreto encanto" provocaba en mí poco discretas olas de rechazo. Me jactaba de mi rebeldía social sin entender ni su naturaleza ni sus causas y orígenes. La mariguana se había vuelto símbolo privado de mi inconformidad.

Después de la conferencia de Cancún entrevisté a López Portillo en la ciudad de México. Fue una de esas entrevistas amplias en

71

latitudes y con nada de concreto en las respuestas. Aún no había desarrollado en mí el arte de interrogar. Durante la entrevista en la casa presidencial, Los Pinos, un fotógrafo de la presidencia estuvo tomando fotos. Terminada la entrevista volvimos a nuestro hotel. Unas horas después, estando yo en el bar —dónde más— con mi amigo Billy, un militar se presentó y con voz estentórea dijo: "¡Guillerrrmo Descalllzi!" Volteé y vi a un militar que se me acercó, se cuadró frente a mí y dijo siempre en esa voz alta: "De parte del presidente", y me entregó un paquete con las fotos de la entrevista.

El caso es que todos en el bar escucharon y vieron el pequeño espectáculo y más de uno debe haber creído que éramos Bill y yo gente importante —nuevamente la confusión entre esencia y existencia—. Uno de los presentes no perdió el tiempo y se acercó a ver qué y quiénes éramos. Se presentó. Era XX, abogado de Los Ángeles. Tenía varios negocios. Vendía en Centroamérica "avionetas de guerra" como las que yo había visto bombardear a la población civil en Matagalpa. Buscaba conexiones en Los Pinos y creyó que yo era "importante". En todo caso, no era su único negocio. También "rescataba" yates robados en Estados Unidos que eran llevados a puertos mexicanos. Los "compraba" y luego los revendía a las compañías aseguradoras de esos yates, "ahorrándoles", nos dijo, muchísimo. También, nos contó, "proveía" vuelos que llevaban cargamentos —supuse que de cocaína y mariguana— de Colombia a pistas de aterrizaje en Texas, Nuevo México y Arizona.

Así era y continúa siendo el ambiente enrarecido que gira sobre muchos de nuestros círculos oficiales. Se valora más la posesión que el ser. O mejor dicho, ni se les distingue. El valor del ser está por allí, perdido en el mar de la posesión.

Más filosofía de la calle (2)

Cuando hablamos de "posesión" en términos espirituales nos vienen a la mente figuras de alguna película de terror, de exorcismo o de ciencia-ficción... pero la posesión espiritual no tiene nada de ficticia. Es concreta y real. No es imaginaria. Es que la posesión real del espíritu es a manos de la forma, de la materia y sus emanaciones. Somos poseídos por el alcohol, por las drogas. Por una "manera de vivir" o por otra. Por tales o cuales costumbres. Por hábitos, temores y pasiones. Por hambre, por sexo... Las cosas que nos poseen son tan reales que llegan a encerrar nuestras vidas privándonos totalmente de libertad.

Es tan común la posesión de esta manera que la inmensa mayoría de nosotros ni nos damos cuenta de que estamos poseídos. No nos damos cuenta porque la posesión es al revés: nuestras posesiones nos poseen. No podemos ver el bosque porque estamos atrapados dentro de él...

Nos volvemos prisioneros de nuestras conquistas. Una persona lucha y se desvive por lograr poseer a otra sólo para convertirse en esclava de ella. Pronto la conquista se convierte en tormento inaguantable... Lo conquistado se convierte en prisión. Es el poseedor el que se convierte en poseído.

Hay por eso que tener mucho cuidado con lo que se posee. De esto me daría cuenta conversando con mis amigos de la calle años después. No hablo de posesión en términos legales, como poseer el título de un automóvil o una casa. Posesión en términos espirituales está en el deseo, en la obsesión con algo, es querer acaparar, controlar y monopolizar.

Allí está uno de los significados del maná que nos cuenta el éxodo que caía del cielo sobre el pueblo de Israel y que podía comerse hasta la saciedad todos los días... sin guardar nada para el día siguiente porque se malograba: el deseo, la obsesión, el control, acaparar, eso es posesión. Pudre, mata.

Años después, en mi periodo mendicante, me daría cuenta de que el error no está en la posesión titular de las cosas, sino en el deseo. El deseo es de nosotros y vuelve a nosotros. Encierra. Es egocéntrico. Y la preocupación por lo que se desea mata. Ésa es su característica. Separa. Aísla. Es, cuando menos, estéril. Rompe nuestra comunión con los demás. Hay que desear poquito, con moderación.

El deseo excesivo —la preocupación por lo que se desea— mata la vida y alimenta los Goliat del alma... y como uno es eventualmente atrapado por sus posesiones, hay que ser muy cuidadoso con lo que se busca poseer. Por eso hay sólo dos cosas que se pueden buscar sin temor: verdad y amor. Así, si uno llega a poseerlas, será a su vez poseído sólo de verdad y de amor... y esta vez la posesión al revés resulta en LIBERACIÓN.

La verdad y el amor liberan. No giran en torno a uno. Nada de lo que gira en torno a uno mismo nos puede liberar. El verdadero ser —el humilde David— no gira en torno a sí mismo.

Todo lo demás lleva a posesión.

Cuando vivimos para nosotros nos volvemos ególatras. Para el ególatra, el mundo gira en torno a sí mismo. El ego cubre el firmamento sobre su cabeza y la tierra bajo sus pies, y la luz deja de brillar en su mundo. Es más, el mundo y el cielo mismos se vuelven satélites del ego. Luego no sabrá cómo abandonar su posición central. Permanecerá allí poco a poco, convirtiéndose en estatua para sostener el cielo y la tierra que él cree que giran en torno a sí.

La actitud que uno debe asumir hacia lo que se tiene, y hacia todo en general, es la de administrador, porque nada en última instancia gira realmente en torno a nosotros... ni siquiera nuestras propias vidas.

Si uno no es capaz de dejar de comportarse como centro de la creación, entonces se vuelve un poseído de la creación: poseído por la existencia.

Llega para mí un momento clave en el escape de la posesión. Fue a inicios de 1994. Mis posesiones eran tantas...

La bicicleta en la que corría finalmente había quedado fuera de control... pero no sabía cómo desmontarme, cómo bajarme de la bicicleta, cómo abandonar el papel autoadjudicado de eje central de mi vida, de sostén de mi cielo y de mi tierra.

Es que el momento del desmonte es difícil porque uno puede ser aplastado. Si uno no es cuidadoso le cae encima el planeta en-

74

tero que uno ha estado sosteniendo en nuestro papel de Hércules, otro de los Goliat de la antigüedad. O se le cae el cielo encima como en la historia del pollito que corría por el gallinero gritando: "¡Se cae el cielo, se cae el cielo!"

Bueno, mi cielo se cayó sobre mí. Y es que era tan obvio que yo no era Hércules, pero en mi ceguera, como Sansón encadenado a las columnas del templo, lo que hice fue traer el techo encima de mí. Muera Sansón y mueran los filisteos. Ésa fue mi consigna en el 94...

Lo que hice fue dedicarme a la total satisfacción de mi ego, *full-time*, tiempo completo. A alimentarlo tarde, mañana y noche para "fortalecerlo" lo más posible... con mariguana, cocaína y alcohol. Claro, si desvanecían la inseguridad...

Y abandoné todo, TODO lo demás. Era mi única... ¿esperanza? Iba a dejarlo todo. Me di cuenta de eso con claridad. ¿Y saben por qué lo hacía? Para no ser aplastado cuando todo se cayera encima de mí. Fui el pollito corriendo para que el cielo no se caiga encima suyo. Fue el último de los absurdos. Pero, en todo caso, eso hice, y así, con una conciencia totalmente inconsciente, me fui a vivir como mendigo en la calle: para "salvarme" de la caída.

Filosofía de la calle (3)

La última, la más profunda, la más devastadora de las posesiones es la posesión a manos de uno, la posesión del ego, la de la persona. Es lo que se llama "egolatría". La persona ególatra es lo más difícil de dejar en el camino a la liberación.

Mirando para atrás parece mentira que ése fuera el inicio de mi renacer. Lo fue por una razón sencilla. Porque al abrazar mi ego de una manera tan descarada al menos lo hice sin hipocresía: abandoné la mentira. Empecé entonces a mostrar por primera vez en mi vida un lado de mí que había existido desde tanto tiempo atrás que aun hoy me es difícil recordar mi vida previa a ese doblez. Y al mostrar mi doblez sin tapujos empecé a vivir la verdad —aunque fuese una verdad fea— y en eso estuvo mi salvación. Porque al empezar a vivir la verdad poco a poco se fue acercando hacia mí y llenándome el amor que es la fuerza de la verdad. Y poco a poco, a medida que empecé a vivir la verdad, la fuerza del amor comenzó a borrar la inseguridad latente en mí... hasta que un día no necesité más de la mentira, hasta que descubrí que ésta había desaparecido. Además, ¿a qué más le iba a tener miedo si ya había llegado a vivir en la calle? ¿A qué más le iba a tener vergüenza si ya había mendigado y comido de la basura? ¿Qué hipocresías más me sería necesario esgrimir como escudo delante de mí si hasta mi adicción y mi alcoholismo los había revelado públicamente?

Empieza a vivir en verdad y en amor y gravitarás naturalmente hacia Dios.

Lo harás sin saberlo porque Dios no es un ente etéreo y amorfo. Dios tiene manifestaciones concretas y éstas son la verdad y el amor.

Empieza por cualquiera de esos dos lados, por vivir la verdad o por vivir el amor, y el otro lado se acercará naturalmente a ti. Principia con amor... perderás el miedo a la verdad. Empieza con verdad... comenzarás a recibir amor.

Así gradualmente, sin darte cuenta, un día habrás dejado de gravitar alrededor de ti mismo. Así me pasó a mí, pero me tomaría dos años de calle para hacerlo, y aunque la verdad que viví en la calle fue fea... fue verdad de todas maneras. Todo lo demás esclaviza, y por fea que fuese la verdad que viví, me liberó.

Un día me desperté en mi cuarto frío y desolado, sucio y harapiento... con calor en el alma. Se había efectuado un desplazamiento masivo de lo que había al interior mío... y nunca más he sentido la necesidad de volver a drogarme, o beber, o satisfacerme a mí mismo. Vivo mi vida de acuerdo con la regla del dos: Uno, la verdad; dos, el amor. Ésa es la única regla que tienes que satisfacer.

Para llegar a eso hay que dejar de gravitar en torno al ego central en la vida de todos y cada uno de nosotros. Ése es el punto de partida. En lugar del ego colocamos Verdad y Amor... Y como ésos son atributos de Dios, lo que estamos colocando en el fondo nuestro es a Dios mismo. Pero no es un Dios ficticio, de fantasía. Eso es lo bello, que Dios es concreto, real, manifiesto en verdad y en amor.

Del ego viene la vanidad y de ella se derivan las ansiedades y los temores. Toda ansiedad y temor existencial provienen de la vanidad de un ser que teme no estar a la altura de... que teme no ser reconocido como... que teme no ser primero, eje central y motor del mundo... Lo bello de darse cuenta de esto es que vuelve cosa simple perder la ansiedad y la angustia, el temor y el dolor que aquejan las vidas de todos nosotros: Abandona tu vanidad, deja tu ego atrás y verás que no hay más motivo para temer, para estar ansioso, para llenarse de ansiedad... PORQUE NO IMPORTA que no seas el primero, que no seas reconocido, que no ocupes el primer lugar, el lugar central... no importa que no seas motor, que seas incapaz de mover nada. NO IMPORTA. Lo único que importa es que vivas en verdad y en amor. Lo uno atrae a lo otro y entre los dos, la verdad y el amor, te llenarán tanto que no necesitarás más. Porque eso es lo que es la vida del ego: es tratar de llenarse.

El ego es un barril sin fondo. Es imposible llenar al ego porque lo que quiere ocupar es el puesto de Dios. Y no existe suficiente vino, dinero, poder, fama, droga o cosa alguna que en su suma total puedan inflar al ego lo suficientemente para que asuma el puesto de Dios. Por eso: peor serególatra que ser idólatra. De esa egolatría nacen los dobleces de la persona. Las vidas empiezan a torcerse, a girar en torno a sí mismas. Y comienza la mentira como patrón de vida porque el hecho central de las vidas que giran en torno a sí mismas es un hecho falso: no somos el centro de nuestras vidas. El objetivo de nuestras vidas no está en nosotros mismos.

Lo opuesto al amor no es el odio. Es la mentira. No se puede amar en la mentira. No se puede amar con engaño. El amor produce verdad y, similarmente, la verdad produce amor: son complementarios. Ambos, la verdad y el amor, marcan el camino a nuestra salvación.

1994 había sido para mí un buen año desde el punto de vista de las posesiones y un año terrible desde el punto de vista de la posesión. En enero de 1994 había logrado un nuevo contrato de trabajo de casi medio millón de dólares, por tres años. El 94 había empezado siendo para mí un año fuerte. En enero había ido a Moscú con la delegación de prensa del presidente Clinton. Había estado en reuniones en el Kremlin entre Clinton y Yeltsin. Luego había ido a Ginebra, Suiza, para una reunión entre Clinton y el sirio Hafez Assad. De allí había ido a cubrir la primera ronda de las elecciones salvadoreñas, y cuando eso acabó me fui a Sudáfrica. Se aproximaba allí el fin del *apartheid* y para mí, aunque no lo sabía, se acercaba también el fin de mi apartheid espiritual.

Me iba a tirar a vivir en la calle. Me iba a volver un ermitaño. Me retiraría del mundo. Lo abandonaría todo. Me iría, como los ermitaños, a vivir en el desierto, y ¿dónde estaba el desierto de hoy sino en la calle? Viviría en la calle, comulgaría diariamente con la gente de la calle, con los borrachos, con los drogadictos, con las prostitutas, con los enfermos, en fin, con los desposeídos del mundo, con los que nada tienen en la nada de su desierto: la calle. No había sido fácil llegar a esta decisión. Implementarla tampoco sería fácil. No sabía nada acerca de la vida en el desierto de hoy.

Empecé por pasar unos días en un parque local en el centro de Washington, Dupont Circle. Allí, entre los adictos al crack, comencé a conocer la vida de la calle. Alquilé una habitación en un hotel cercano al parque, el hotel Barcelo.

Ese primer ensayo acabó con mucha rapidez. Yo no entendía muy bien lo que hacía. No entendía el comportamiento de la calle. El experimento terminó cuando un adicto del parque me golpeó con una barra de hierro y perdí el conocimiento. Me había pasado esos días fumando crack y el adicto me pegó por mis últimos veinte dólares de "piedra".

Pasé un mes en un centro de tratamiento en Chicago, Illinois. Fue un mes horrible, que pasé en rebeldía total. Había accedido a ir solo para satisfacer los requisitos de mi familia, la que deseaba que yo me "adaptase" al mundo. El centro al que fui buscaba "adaptar" a sus pacientes. Era una idea que yo veía con horror. Hubiese sido horrible, creo, si me hubiera "adaptado", porque esa adaptación para la gran mayoría carece de verdad. Y como yo carecía de verdad, para mí esa adaptación hubiese sido una mentira...

Uno de los lemas en el instituto era "Fake it 'till you make it" —engaña hasta que lo consigas—. Es un lema legítimo, pero para el drogadicto promedio o para el alcohólico promedio —campeones como somos del engaño— adquiere una connotación distinta a la que deben haber tenido en mente sus autores.

¿Cómo se engaña? La respuesta a esa pregunta está en otro de los lemas: "Walk the walk and talk the talk" —que hables el habla de los sanos e imites su caminar... hasta que logres hacerlo con naturalidad—. Y, una vez más, los adictos y alcohólicos torcemos ese lema.

El índice de recuperación en ése y en otros institutos similares es abismalmente bajo. Alrededor de 5% de los que son "dados de alta" en esos centros se mantiene sobrio por más de un año. ¡Verdaderamente! Es que los alcohólicos y drogadictos somos tan incapaces de verdad. No puedes recuperarte sin verdad.

El primer paso para la recuperación es aceptarte a ti mismo como eres, así, drogadicto y todo. Es un paso riesgoso pero necesario... No puedes... "Fake it" —"engañarte"—. El engaño carece de verdad y no encuentra amor para curarse.

Me pasé el mes en Chicago bebiendo vodka secretamente y evitando ser "corregido" y "adaptado". Hasta la fecha me parece increíble haber bebido tanto en un centro tan supervisado, donde el objetivo era precisamente ponerle punto final a la bebida y a la droga. Fumé incluso mariguana... fui el héroe secreto de los demás "pacientes" del instituto. Elegí beber vodka porque es el licor que menos olor deja en el aliento... y, en fin, así se pasó el mes.

El instituto me provocaba rechazo. Estar allí era para mí algo así como un pecado mortal y luché tenazmente contra la meta de la modificación de mi comportamiento... Yo no quería cambiar... y es por eso que no me compuse allí. Por supuesto, no hay recuperación sin autenticidad.

Ése es el primer paso para la recuperación de drogas y alcohol: autenticidad. ¿Quieres ser drogadicto? Bien, sé drogadicto, auténticamente, sin mentiras. No esperes nuestro apoyo. Vete a vivir a la calle... pero SÉ auténtico. ¿Quieres recuperarte? Muy bien, recupérate, pero hazlo auténticamente, sin mentiras, sin "dorar" tu verdad.

El problema de muchos centros de tratamiento es que por más que traten les es difícil evitar que el paciente se engañe a sí mismo. Porque el orgullo es tal, la vanidad es tal, que pocos o nadie quieren dejar de ser quienes son, por adictos y enfermos que estén. El paciente promedio miente y miente descaradamente a los demás. El "Fake it 'till you make it" adquiere en esos lugares una realidad distinta a la que tuvieron en mente quienes acuñaron esa frase.

La autenticidad es el punto de partida. Si el paciente en esos centros logra auténticamente rendir su personalidad... enhorabuena. Pero ojo, la responsabilidad de la reconstrucción es del paciente.

En la reconstrucción hay que ser auténticos. ¿Quién quiere personas de plástico? Si no eres auténtico entonces vas a estar viviendo una mentira y la mentira nunca conduce a nada. Una vez que el adicto empieza a vivir sin mentira... entonces y sólo entonces puede empezar a cambiar, porque es sólo sobre la base de la verdad que se construye. O mejor dicho, el cambio es entonces inevitable porque la verdad es correspondida por iguales dosis de amor... Y la adicción empieza a perder su razón de ser: el vacío central del ego, el hueco negro alrededor del cual gravita la adicción, empieza a llenarse de amor y verdad.

No es nada simple hacerlo. La autenticidad es dificilísima para cualquiera. Más para un drogadicto o para un alcohólico, campeones como somos de la mentira. Yo en el instituto no era auténtico. Bebía en secreto, negando lo que hacía. Debo haber sido toda una pesadilla para los encargados. La mitad de los residentes en mi unidad me aplaudían y era su héroe secreto... Porque fui tan terco, porque fui tan rebelde, porque me resistí tanto a "adaptarme"...

La reconstrucción de tu vida tiene que ser auténtica y tuya. Sin eso no habrá verdad. Sin verdad no hay recuperación que se sostenga. ¿Podrán mantenerse sanos los seres de plástico? No sé, pero lo dudo.

Lo que hay que hacer es entregarse activamente a la verdad, no amoldarse pasivamente a ella... porque la verdad es viva, activa, se mueve.

Los institutos *no* son negativos. Es la manera como muchísimos pacientes los tomamos la que los hace negativos para algunos de nosotros. Hay una gran diferencia para quienes los buscan convencidos de que su solución está en ellos.

Para mí no fue así y me resistí a que se me moldeara, lo cual también estuvo bien para mí porque nuestra liberación tiene que ser... *libre*. Sólo en libertad hay fortaleza. De nada vale sojuzgar al espíritu para salvar al cuerpo.

Para mí cambiar en ese instituto era el pecado mismo. Pero para otros más afortunados no. No tienen que llegar a los extremos a los que llegué para matar al adicto dentro de ellos. Si lo pueden lograr en una institucionalización: fuerza para ellos. Se evitarán mucho sufrimiento.

En las adicciones lo que está enferma es la vida misma... La enfermedad es de vida. Y la tarea de la cura de la enfermedad de vida es eminentemente espiritual. Sin sentido espiritual se tiene poco éxito. La cura está, precisamente, en la búsqueda de lo espiritual. Y, vuelvo a repetir, esa búsqueda es concreta: consiste en buscar la verdad y el amor. Tiene que ser hecha personalmente. Nadie la puede hacer por uno.

En el transcurso de mis experiencias pasé por dos excelentes centros de tratamiento.

Cuando dejé el instituto de Chicago lo primero que hice fue volver al "parque". Sólo veía un camino y éste consistía en dejar atrás a mí mismo... aunque para eso tuviese que disolverme. OJO: No buscaba el fin de las drogas o el alcohol. No. Lo que buscaba era la DISOLUCIÓN de mis problemas. Vuelvo a repetir que mi salvación fue a pesar mío, porque empecé a vivir en verdad y a recibir amor a cambio. La salvación es una gracia. Nos salvamos por gracia. Y para recibir esa gracia tienes que vivir en verdad y amor. Así de simple.

Cuando el instituto de Chicago me dio de alta volví de inmediato a ensayar la vida en la calle.

Alquilé un departamento para usarlo como base de operaciones. Me fui a México a cubrir las elecciones presidenciales y me drogué tanto que la compañía (canal de noticias NBC) me mandó de regreso a Washington el día anterior a la elección. Y de vuelta a Washington no tuve más cara para mostrarme en el trabajo. Había llegado al límite de lo que mi ego podía aguantar... Y es así que resolví matar a mi Sansón y mis filisteos.

De regreso a Washington, una noche en el verano del 94, bajé a una estación del metro en la calle Wisconsin y le cambié uno de mis trajes italianos a un pordiosero. Me puse su ropa y así vestido me fui a dormir a un parque cercano. Duré como hasta la una de la mañana. Es que mis huesos no estaban acostumbrados y tuve que volver a mi departamento a pasar allí lo que quedaba de la noche. Al día siguiente volví a vestirme de pordiosero y me fui al callejón de salida de basura de un hotel cercano, en la misma calle Wisconsin, donde se congregaban a dormir otros mendigos.

En esos primeros días yo era un mendigo de lujo. Estaba quemando lo último de mis ahorros y usando mis tarjetas de crédito hasta el límite para comprar alcohol y drogas. Los compartía con los mendigos del área y me volví naturalmente popular entre ellos. Empecé así a aprender a vivir en la calle.

El cemento en el callejón del hotel esa segunda noche resultó más duro aún que el suelo del parque y antes del amanecer regresé nuevamente a mi departamento. Así pasaron unas semanas.

Fueron semanas de aprendizaje: cómo se hace para vivir sin nada. Yo, con un guardarropa de por lo menos 15 trajes italianos, con camisas mandadas a hacer, con miles de dólares mensuales para mis gastos, ése era yo que había llegado totalmente desprovisto para la vida sin nada. Ah, pero tenía un gran "igualador"...

Tenía mis drogas y mi alcohol que instantáneamente borraban cualquier diferencia entre yo y los demás mendigos y gentes de la calle.

Digo mendigos y gentes de la calle porque no toda la gente de la calle mendiga. Allí me hermané con ladrones y prostitutas, con adictos y locos, con alcohólicos y homosexuales... Me hermané con todo lo que había rechazado en mi vida "oficial" hasta hacía muy poco. Y ésa fue otra bendición para mí.

Mi persona tan insegura, que nunca pudo sentirse cómoda en medio de otra gente, de pronto empezó a ver valor en esos que los demás rechazaban... Sí, empecé a identificarme. Hice amigos. Putas y ladrones... Julito el marielito, Sandrita la putita... Había uno al que le llamábamos "Medio Pedo" porque comía tan poco que no era posible que se tirara un pedo entero, según decían. "Dos Colones" era un salvadoreño, Carlos era un vendedor de crack de Bolivia. Shorty era un cubano tan pero tan bajo... Drácula era un ecuatoriano con una mueca permanente y una boca desdentada de la cual sólo aparecían los colmillos. Y estaban los "Gringos" también... porque en el barrio hispano de Washington los "gringos" resaltaban. La gorda Yolanda era una americana de Miami que hablaba muy bien el español y mantenía un sótano para la venta y consumo de crack. Steve y Chris eran dos hijos de la clase media alta de Washington que hablaban perfecto francés e italiano, respectivamente. Joe era un jamaiquino trastornado que le hablaba a gritos a Dios por las calles. En fin... en medio de ellos encontré mi igualdad.

Poco después de iniciado mi experimento se me acabó el dinero. La compañía me suspendió sin sueldo cuando no volví a trabajar. El dinero inicialmente me sirvió para aceitar mi entrada a la calle. El alcohol que compraba para el grupo de vagabundos del metro, cerca de mi departamento, me volvió "simpático" ante ellos y empecé a ganar su confianza.

Una noche como a la una de la mañana, en medio de un ataque de hambre, hice, casi sin saberlo, mi primera incursión a los basureros... "Vamos a comer pizza", me dijo un moreno... y la sacó de la basura detrás de un restaurante.

Las pizzerías que venden por tajada suelen mantener hasta la hora misma de su cierre una torta caliente de cada uno de los tipos de pizza que venden, para tener así pizza para los últimos clientes del día. Siempre les sobra algo y muchas veces les sobran tortas enteras de pizza. Cuando llega la hora del cierre las botan a la basura, debidamente envueltas en sus cajitas... Éste es, después de todo, Estados Unidos. Nunca, en Washington al menos, las regalaban a los mendigos, porque hubiese sido atraerlos a su puerta. Las botan. Y detrás de cada bote de basura, detrás de casi todas las pizzerías a la hora del cierre, suele haber mendigos. La pizza no puede ser dejada mucho tiempo en la basura porque se llena de olor a podrido. Hay que sacarla casi de inmediato.

Era, guardando las distancias, un mundo muy similar al de las guerrillas. Quizás darme cuenta de eso me ayudó en mi adaptación. La vida en la calle era de guerrillero, y yo era experto en guerrillas... Y cuando me preguntaban: "¿Cómo puedes vivir en ese mundo, no te da miedo?", respondía: "No, ya he vivido en él".

3

Temprano en la década de los años ochenta, mi jefe, René Anselmo, me pidió que crease y dirigiese un programa al que llamamos "Temas y Debates". Lo formé y conduje por siete años.

Era un programa de corte político por el cual pasaron en su tiempo todos y cada uno de los entonces presidentes de Latinoamérica y Estados Unidos. A los ricos, a los poderosos, les encantaba aparecer allí. Mi estilo era agresivo. Los recibía con preguntas a quemarropa. Era así, agresivo, porque era la única manera que sabía para comunicarme. Quizás muchos de los que se desvivían por aparecer en el programa no se daban cuenta de que era así por defecto y no por efecto. Pero en fin, el programa tuvo éxito. En nuestro ambiente latinoamericano no había programas así de agresivos y al público le encantó, con la consecuencia de que —como dije— los ricos y poderosos querían verse en él. Mi programa era, como en el cuento de la bella durmiente, el espejo que les diría a los invitados quién era el más bello de todos... pero el programa era tan agresivo que, como en otro cuento —el de "Las ropas del emperador"—, el público veía al entrevistado... al desnudo. Aun así, se peleaban por estar allí. A los entrevistados lo que les importaba era el prestigio de haber estado en "Temas y Debates". Presidente latinoamericano que llegaba a Washington era presidente que no sólo anticipaba aparecer en el programa, sino que hacía llamar por anticipado para que le reserváramos espacio. Teníamos que inventar excusas para decir que no.

Era una época tan delicada... Los sandinistas y los contras se peleaban en Nicaragua. En El Salvador se disputaban el control el FMLN, los escuadrones de la muerte, los demócrata-cristianos y el partido del mayor Roberto D'Abuisson, Arena. Estados Unidos había montado en Honduras la base aérea más grande de América Central, Palmerola, y decía que era una base "temporal". Los desaparecidos empezaban a abundar en ese país de presencias temporales. En Guatemala, la población indígena estaba siendo diezmada. Costa Rica servía de base primero a sandinistas y después a contras. Y Panamá era refugio de narcotraficantes.

Así y todo, los gobernantes de cada uno de estos países se esforzaban por mostrar su belleza en nuestro espejo. En mis viajes por la región, que eran frecuentes, aprovechaba para grabar "Temas y Debates" "al paso". Era fácil porque el prisma del programa atraía a las "verdades" que querían ser difundidas. Es así que conocí al general Manuel Antonio Noriega de Panamá.

Noriega era un hombre de gran vanidad. Ansiaba, como todos, dar a conocer al mundo la belleza de su persona. No era consciente ni de sus limitaciones ni de la imagen que proyectaba. Quería que el continente se percatase de su calidad de líder hemisférico. Era de estatura baja, fuerte, con un rostro tan marcado por el acné que le llamaban "cara de piña". Tenía varios fetiches. Coleccionaba sapos de todo tipo. Grandes, chicos, de bronce, de papel. Creía en el secreto de la gran pirámide. Y controlaba Panamá con mano de hierro.

Siempre que estuve en el Panamá de Noriega, el general puso a su chofer, el sargento Crocamo, a mi disposición. Crocamo solía esperar nuestra llegada en una camioneta con vidrios oscuros estacionada cerca de la pista de aterrizaje. Nos esperaba con cocaína. Solía traer dos bolsitas. "Ésta —nos decía— es la coca, y éste... es el corte. ¿Las mezclo o la quieren pura?" Ésa era su pregunta invariable, tras la cual mi asistente, otro "aficionado", botaba la bolsita del corte por la ventana.

La secretaria ejecutiva del general nos invitó una vez a comer a su casa y acabamos "comiendo" la coca que nos dio. Ah, la coca flotaba por allá. Una amiga de la secretaria era hermana de un futuro embajador de la Nicaragua postsandinista a Washington. Y también se coqueaba hasta quedar con la nariz tapada. El hijo de otro embajador nica ante la Casa Blanca era amigo de Fawn Hall, la secretaria de Oliver North... digna coquera ella también. "La coca y la contra", me imaginé una vez, será un buen título para una novela.

Y yo allí, adicto, como pez en el agua.

En ese tiempo mi jefe, Anselmo, estaba por abrir un nuevo capítulo en la historia de las telecomunicaciones del continente. Había comprado un satélite de segunda mano, rechazado por quienes lo habían comisionado. Lo bautizó como "Pan Am Sat". Se proponía lanzarlo al espacio como el primer satélite de condominio de órbita geoestacionaria con haz panamericano. De allí su nombre.

Había sólo un problema: no lo podía poner en órbita por problemas legales.

Intelsat, el consorcio de países que controlaba los satélites de comunicación, tenía que dar su permiso para la puesta en órbita de cualquier satélite de comunicaciones que le hiciera la competencia. En el caso de un satélite con haz panamericano se requería del voto aprobatorio de siete países dentro de su haz de convergencia. Y René Anselmo, por más que tratara lo que tratase, no consiguió un solo voto a su favor. Su satélite se enmohecía en tierra. Iván Egas, el gerente general de la estación de SIN en Nueva York, había recorrido el continente en busca de votos... y nada. Anselmo me llamó para pedirme ayuda.

Hice indagaciones y me enteré de un hecho interesante: seis países de la América Central votaban en bloque y el voto lo ejercía de manera rotativa un país cada año. Ese año, Panamá ejercía el voto centroamericano a nombre suyo y los de Costa Rica, Nicaragua, Honduras, El Salvador y Guatemala. Y el que decidía el voto de todos esos países era... mi general, Manuel Antonio Noriega.

El Noriega de ese tiempo era vanidoso en extremo. Se dice que se enfurecía cuando lo llamaban "cara de piña". Le encantaba el "respeto" a su persona. Tengo entendido que ahora, en la soledad de su prisión, es un cristiano convencido. Pero las características de su personalidad antes hacían de él... digamos que alguien ideal para pedirle el voto para Pan Am Sat.

Viajé a la ciudad de Panamá con mi asistente. Como de costumbre, el sargento Crocamo nos esperó coca en bolsa. Al día siguiente, medio destruidos, fuimos a hablar con el general. Nos esperaba en su oficina de sapos y pirámides. Hablamos de generalidades. Nos dijo que "si los gringos entran por la fuerza", él saldría a la defensa de los sandinistas en Nicaragua. Y le pedí que en la próxima reunión del directorio de Intelsat en Washington, Panamá votase "sí" al pedido de Pan Am Sat. Accedió, y fue así: probó ser un hombre de palabra. Seis votos estaban asegurados. Faltaba sólo uno. Lo obtendríamos en el Perú.

Ese año en Managua se adoptaría la constitución sandinista. Estuve allí el día de su firma. El comandante Daniel Ortega Saavedra era otro ávido participante en mi programa, "Temas y Debates". Como invitado de honor a la firma de la nueva constitución estaba el presidente del Perú, Alan García Pérez. García pronunció el discurso de honor en esa ocasión. Fue un discurso rabiosamente antiestadounidense, pronunciado con tanto brío, soltura, elegancia, emoción y lógica que quedé sumamente impresionado.

El hombre prometió luchar hombro a hombro con los sandinistas de cuyo lema, inscrito en su himno de entonces —"Lucharemos contra el yanqui, enemigo de la humanidad"—, García se hizo eco. Con emoción rabiosa aseguró que los países latinoamericanos lucharían contra ese enemigo de la humanidad en su propio campo de batalla, el económico. Nunca pagaría un centavo de la deuda externa del Perú, aseguró. Romperían las cadenas de su esclavitud. Tenía visiones de ser el libertador Simón García.

Era una época en que en Latinoamérica se estaba formando un gelatinoso eje de rechazo a los males reales y percibidos de Estados Unidos. Era el eje de Panamá, Perú, Nicaragua y Cuba, como cuatro elefantes balanceándose sobre la tela de una araña.

Noriega había estudiado en el Perú. Los cuatro gobiernos decían admirarse mutuamente. "¡Oh, qué maravilloso eres!" Había cierta competencia por ver cuál de ellos era el líder, después de Fidel, de la nueva izquierda. Y no podían ser las suyas figuras más disímiles: Manuel Noriega, Alan García, Daniel Ortega... y por supuesto, Fidel. Noriega, "cara de piña", era un hombre duro, muy duro... pero sagaz. García era un criollo casi afeminado en su busca de la "pose correcta". Ortega tenía mucha dureza pero poca sagacidad, le costaba entender y pagó caro su Nicaragua por eso. Castro... todos los anteriores sacaron algo de Fidel. Suya era la dureza, la oratoria, la sagacidad y la pose... todo en uno... y como todos ellos, era también un aspirante más a caudillo y nada más, en la verdadera tradición de hijos de la conquista.

Los cuatro, por diferentes que fueran, acabaron compartiendo como jefes de Estado esa misma característica de querer después de todo... "ser algo". Ah, vanidad, vanidad. Hijos de algo, todos querían ser hijos de algo y se creían revolucionarios a su manera.

Para eso nuestros líderes han tenido tradicionalmente que comer muy rápido. Sus mordidas en el poder están detrás de una buena parte de la pobreza de nuestros pueblos... y la mordida de García parece haber sido descomunal.

Mi jefe, René Anselmo, con una exquisita percepción del espíritu humano, vio con toda claridad la naturaleza de Alan García y dijo "allí, allí está el voto que nos falta"... Después de la promesa de Manuel Antonio Noriega aún nos faltaba un voto y Anselmo le hizo a García una oferta que no pudo rechazar.

Le regaló —por un sol— un transponedor.

Un satélite moderno es algo así como un andamio o una plataforma. Amarradas en este andamio están muchas estaciones de transmisión llamadas "transponedores". Cada transponedor es en sí un "minisatélite". Es decir, mientras que un satélite antiguo era como una casa, un satélite moderno es como un edificio de departamentos con cada uno de ellos constituyendo una vivienda por separado. Pan Am Sat era el primer satélite de condominio en el continente y en él Anselmo le regaló un "departamento" a García.

Anselmo viajó al Perú y le entregó a García un transponedor por un sol —nada—. Claro, el truco era que el satélite no estaba en órbita y se necesitaba de un voto más, cosa que García inmediatamente garantizó. El regalo era, se entendía, para el Perú, no para García.

El día de la votación en Intelsat-Washington, el delegado de Manuel Antonio Noriega votó los seis votos de la América Central a favor de Pan Am Sat y el del Perú hizo lo mismo. La puesta en órbita de Pan Am Sat había sido aprobada por el consorcio internacional. El Perú era copropietario de este satélite de condominio... o al menos así creía yo.

Años después el recién electo presidente del Perú, Alberto Fujimori, efectuaba su primera visita a Washington como mandatario. En su comitiva de prensa llegó un antiguo alumno mío de cuando era profesor en el colegio Santa Margarita, en Lima, Perú. Mi ex alumno me pidió ayuda para conseguir un satélite que transmitiera su material al Perú.

"¿Pero... cómo? —le pregunté—. ¿Y por qué no usan el transponedor peruano?" "¿Qué? —respondió—. Si no tenemos transponedor." El regalo por un sol al Perú en el satélite de condominio Pan Am Sat se había perdido...

América Latina perdió mucho a manos de su izquierda. Perdió muchísimo también a manos de su derecha. En la América Latina, izquierda y derecha son brazos divorciados que tiran cada uno para su lado y destrozan entre sí al cuerpo que los sostiene. Es el caso de Nicaragua donde sandinistas, contras y recontras arrastran al país a través de su propia versión centroamericana de la guerra de los cien años. Latinoamérica está en esa etapa del desarrollo político social de Europa: la Edad Media, donde las guerras feudales de ese entonces fueron como aquellas de hoy entre las izquierdas y derechas latinoamericanas. Y es que el error suyo es igual al del feudalismo: giran en torno a sí mismas, sólo ven su interés, se olvidan del ser del que emanan y acaban produciendo en él tal división, tal esquizofrenia, que no tienen visos de acabar. Como en el caso de la gallina, cuyo cuerpo sigue corriendo cuando ya le han cortado la cabeza, son las derechas y las izquierdas las que siguen combatiendo entre sí sin piedad hacia el cuerpo destrozado del que salen ellas.

El remedio no está en "librar la batalla que acabe con todas las batallas". El remedio es el mismo a niveles nacionales que lo es a nivel personal: es llegar a aceptar su propia naturaleza, aceptar a su ser tal y como es, cuidar de él con respeto. Es abandonar las pretensiones de arriba y abajo, los juegos y las movidas de izquierda y derecha, es aceptar la realidad de su composición humana tal y como es, sin ilusiones, sin desprecios, temores y ansiedades. El remedio está, en suma, en ser REALES, en acabar de una vez por todas con la esquizofrenia social latinoamericana que es la que destroza su composición humana.

En 1989, los campos de batalla centroamericanos no habían terminado de agotar a la región sólo porque la capacidad de sufrimiento del ser humano es aparentemente inagotable...

De los ríos de sangre surgieron hombres que empapelaron la situación. Son herederos de la tradición diplomática latinoamericana. Uno de los grandes empapeladores fue Óscar Arias Sánchez, presidente de Costa Rica, Nobel de la paz.

Arias congregó a los mandatarios centroamericanos en Esquipulas, Guatemala, y luego de varias reuniones en diversas localidades sacó como mago los tratados de paz de Esquipulas.

Eran reuniones como deben haber sido las de Versalles hace más de 200 años, con cantidad de poses de los concurrentes. Está por ejemplo la que adoptó Óscar Arias como el camarada Mao.

Está José Azcona Hoyo como el monito.

Está Napoleón Duarte como el sastrecillo valiente.

Y está Ortega como Daniel el travieso.

Fue durante una de las reuniones de la serie de los tratados en San José, en el local de una escuela agropecuaria, el ICA, donde el presidente de Costa Rica quiso mostrar su vitalidad nadando en la piscina tal y como Mao lo hiciera en el Yang Tse Quiang. Arias quería ser visto como audaz. Nadar como Mao, ésa fue su demostración.

En la misma reunión José Azcona, el hondureño, se empecinó en mostrar su... digámosle falta de "preocupación" por la prensa. La mostró empecinándose en comer una banana a medio pelar mientras respondía preguntas en televisión, con la cámara encima de él. El resultado fue obsceno y no lo pude utilizar.

Napoleón... Napoleón Duarte siempre me inspiró respeto. La pose de sastrecillo valiente le caía a él casi natural. Se creía el sastrecillo valiente... y quizás lo fuera. No aspiraba a más.

Y Daniel... Daniel Ortega, que nunca pensó que se iba a ver arrinconado entre la pluma y la pared, tuvo finalmente que estampar su firma sobre los tratados. Fue por lana y salió trasquilado... pensó que podía hacer travesuras, pero se las hicieron a él.

En todo caso, todos —incluso Duarte— tenían un gran afán de ser protagonistas de la historia... Había un gran afán protagónico entre ellos... Es una actitud, la de "la pose protagónica" que se extiende a través de las capas del poder en la América Latina. La pose. La pose hace que la diplomacia Latinoamericana sea representante de algo que muchas veces no existe y convierte muchos de sus esfuerzos en ejercicios de vanidad. El humanismo diplomático latinoamericano es llevado así, como medalla colgada del cuello. Y un ejemplo de esto se da en la organización panamericana OEA.

***

En las calles de Washington tenía yo a un amigo, "el Cojo", para quien la OEA era la representación de todo lo que andaba mal en el continente. No era en realidad cojo sino más bien paralítico. Había quedado paralítico por una herida de bala, y todos los fines de semana se los pasaba sentado desde temprano en su silla de ruedas en el "parque de las ratas". Allí, sentados los dos, empezábamos nuestros sábados y domingos tomándonos una botellita de vodka caliente con café hirviente y harta azúcar. Al poco rato se nos iba a la cabeza y parecía salirnos vapor hasta por las orejas. Pero eso era los fines de semana.

Los días de semana, de lunes a viernes, el Cojo se los pasaba sentado frente a la puerta de la Organización de Estados Americanos en una protesta muda contra el bastión de la diplomacia hemisférica. La bala de un diputado de su país más de 15 años atrás le había cortado la médula espinal. Su presencia ante la OEA era su "protesta" a la falta de respeto a los derechos humanos en el hemisferio. Pero eso era los días de semana.

Los fines de semana generalmente ni él ni yo dormíamos. Empezábamos la tarde del viernes, una "buena tarde" en la calle porque se llenaba de gente en busca de diversión, de restaurantes, etc., y había mucha oportunidad de hacer dinero. Así, la gente de la calle en la Columbia Road siempre se amanecía los sábados. Y los domingos también, porque las noches de los sábados eran iguales. Dos noches sin dormir para luego caer exhaustos los días lunes. Y las amanecidas de los sábados y domingos siempre acababan con el Cojo y yo bebiendo de nuestras botellitas de vodka y nuestras tazas de café compradas a un salvadoreño que se paraba en la esquina del Seven-Eleven en una calle cercana, vendiendo licor fuera de horas a los "muchachos de la mara".

Las noches de viernes y sábados, y gran parte de todas las demás noches y días, las pasábamos reuniendo de centavo en centavo hasta tener lo suficiente para comprar una piedrita de crack... Y tan pronto teníamos reunida la mágica cantidad... carrera a "la polvosa", una cancha de futbol polvorienta en una escuela de la calle 16, en cuyas esquinas vendían el crack. Después de eso, a fumar, y terminado el "vacilón", de nuevo a reunir dinero para otra piedrita. Así se pasaban los días, con trago entre piedra y piedra para "fortalecer el cuerpo". Y sólo al final de varios días, ya rendidos, dormíamos.

En la calle, como en todo, se tienen sus propias rutinas. Una de ellas era dormir sólo después de haber acabado el último centavo. Nadie se iba a dormir con dinero. Hubiese sido —para nosotros— una insensatez. El resultado de esto es que siempre teníamos algo urgente que hacer tan pronto nos despertábamos: buscar el pan de cada día... que en mi caso quería decir buscar el primer vodka con café. Y luego de eso la tarea urgente era reunir ocho dólares para la primera piedrita. Los sábados y los domingos eran días buenos porque siempre amanecía con vodka y piedra: no nos habíamos ido a dormir. Es que el público estaba en las calles.

Los vagos solíamos tener "clientes especiales"... personas que siempre nos daban por alguna razón u otra. Yo tenía muchos clientes especiales que me daban cinco, diez o veinte dólares... y por eso los demás me veían algo así como el rey de los vagos, de manera que fui popular entre ellos. Se pegaban a mí, entre otras cosas, porque conmigo había para lo mínimo. Otros, Steve, Sandra, Chris, Medio Pedo, Guajiro... también por pasar las noches y los días en conversación. Noches y días eran todos los mismos: reúne, reúne, bebe, bebe, fuma, fuma. Y entre una cosa y otra, conversa, conversa. Eso sí, éramos campeones de la crítica filosófica. Era como si fuéramos alumnos en alguna universidad selecta y no vagos de la calle con olores que deben haber sido indescriptibles, pero que nosotros mismos no podíamos oler. Yo recuerdo haberme bañado sólo tres veces en casi dos años. Medio Pedo tenía una teoría: que a nadie le molesta... el olor de su propio pedo. ¿Será así? No sé, pero ése por ejemplo fue uno de nuestros temas de conversación "profunda".

En mi experiencia, la madrugada es la mejor hora para filosofar por el estilo. El atardecer es la peor. Hay una cierta frescura en los amaneceres... Tiene uno menos recelo, el resentimiento parece haberse dormido. Los amaneceres son buenos con el mendigo... Después de todo, el mendigo es el hijo que lo espera de pie cada día.

El Cojo y yo éramos mendigos del amanecer. Me llegaba al Seven-Eleven, la tienda de 24 horas, a eso de las cinco de la mañana,

94

cuando empezaban a arribar allí trabajadores en busca de café y pan. Generalmente ya para las seis tenía yo diez dólares: un dólar noventa para mi café y mi botellita de vodka "Velikoff"... y mis ocho dólares para la primera piedra del día. Y compartía... compartía con otros menos afortunados que llegaban urgidos de su dosis para calmar los nervios.

Una de mis rutinas en la madrugada era frecuentar a los borrachos locales. Algunos se despertaban en condiciones tan extremas que necesitaban licor inmediatamente para poder funcionar. Alfredito, a quien por su aspecto le decíamos el "Chupacabras", "Chuleta" y el "Artillero", era uno de los que venían todas las madrugadas a la misma esquina buscando el trago o el humo salvador. El Cojo era otro buen samaritano. Sábados y domingos ya teníamos nuestro licor listo a eso de las cinco de la mañana, comprado de nuestro "agente" local en la misma esquina del Seven-Eleven. El "agente" siempre llevaba su carga de vodka en sus espaldas, en un morral. ¿De dónde conseguiría el Velikoff de un dólar noventa?

Y así empezaba mi rutina, en la madrugada con los borrachos y luego, hacía las diez de la mañana, me iba con los adictos.

Hay tanta desesperación en la calle... y no hay desesperado más desesperado que el adicto al crack. Todos, absolutamente todos, se pasan el día en lo mismo: salen de sus escondites a buscar la manera de conseguir sus ocho dólares para su dosis mañanera y luego... de vuelta a la cueva, a fumársela y tan pronto se inhala el primer "toque"... le entra a uno tal paranoia que es difícil describírsela a alguien que no se haya metido droga jamás. Tan pronto entra el "toque" uno ya está con todos los sentidos de punta, viendo policías y enemigos hasta en las sombras. Cualquiera pensaría que eso fuese suficiente para persuadir al adicto a abandonar su hábito... pero es tan enferma la adicción que aun sabiéndose uno preso de delirios por su causa, aun así quiere continuar con su droga. Es que para el adicto cualquier cosa es preferible a la normalidad. El adicto carece de amor a sí mismo porque no tiene verdad. O quizás sea al revés: carece de verdad porque no se tiene amor a sí mismo. Es lo mismo. El hecho es: no se ama. El adicto NO SE AMA. Y CARECE DE VERDAD. Eso está en la raíz de toda adicción.

Siempre tuve alegría en la calle... Sólo tiene uno que saber dar... y es tan difícil dar en la calle como en un palacio. Yo recibí alegría compartiendo de mi miseria con todos... sin juzgar. Y es tan difícil compartir de su miseria como lo es compartir de su riqueza. Compartir me ayudó tanto porque como dice un vals peruano:

"Qué tristes, amada mía, los días amanecen..."

Para el pipero la piedra es su amante y la tristeza está en su ausencia. La droga es un amante que se extraña, difícil de abandonar. El pipero roba, se prostituye, mendiga, hace cualquier cosa por su piedra. Compartirla con otro pipero es compartir su tesoro... Creo que por eso encontré alegría: porque por adicto que fuera, yo compartía mi tesorito, y eso agradaba.

Yo era bueno para mendigar. El público me conocía de mi vida anterior ante las cámaras de televisión y para eso de las diez de la mañana ya había reunido unos veinte dólares. Con ellos solía comprar una piedra "de a veinte" que fumaba con Sandrita, Venezuela, Chapin y otros. No todos eran piperos. Guajiro, por ejemplo, y el Cojo, ellos eran exclusivamente borrachos.

Hoy que escribo esto, Venezuela está por cuarta vez en una cárcel de Miami a donde vino siguiéndome. Ha tratado de dejar el vicio sin éxito... quizás porque parece ser constitucionalmente incapaz de decirse la verdad a sí mismo. Y sin verdad... no hay sanación. La luz no brilla en la mentira. Su primer arresto en Miami fue vendiendo piedra falsa, lo cual lo indignó porque dijo que no tenían derecho a arrestarlo porque sólo estaba estafando a otros adictos; no estaba, dijo, vendiendo crack. Esta última vez lo arrestaron manejando un carro robado...

Sandrita entró a una etapa fuerte de consumo, de la cual salió y hace esfuerzos por mantenerse sana. Alejandra, otra adicta, entró a una rehabilitación cerca de Orlando, Florida, pero recayó.

Lo mismo con Guajiro. Ha pasado por cinco, seis rehabilitaciones... y ha vuelto a caer. No sé, a veces me da tristeza no estar junto a ellos... Pero sé que mi camino no está más allí.

En fin, mientras yo pasaba las mañanas con mi séquito de piperos, el Cojo, que se dedicaba más a los borrachos, pasaba las mañanas de sábados y domingos con su séquito de alcohólicos revoloteando cerca de su silla de ruedas en el parque de las ratas.

El Cojo albergaba un odio indescriptible hacia la Organización de Estados Americanos. Cumplía con su tarea de aliviar los dolores de la calle solamente en sábados y domingos, porque durante la semana se la pasaba siempre parado como soldado —o en su caso, sentado como soldado— frente a la puerta principal del edificio administrativo de la OEA en protesta callada contra su ineficacia. Para el Cojo la ineficiencia de la OEA era un pecado de lesa humanidad a la América Latina.

El Cojo tuvo que huir de su país para salvar su vida tras ser baleado y llegó así —en silla de ruedas— a Washington, donde planteó una queja ante la comisión de derechos humanos de la OEA. Se encontró con una pared de silencio. Y se encontró también con que las violaciones a los derechos humanos a nivel continental son, mientras más masivas, más inexplicablemente pasadas por alto en esa comisión. ¿Qué de las masacres campesinas en tantos países, de los desaparecidos en el cono sur, de la prisión del pueblo cubano, de los robos de miles de millones a los pueblos latinoamericanos por parte de los políticos que los representan? Todo eso bien, gracias, en la comisión de derechos humanos de la Organización de Estados Americanos. El Cojo había encontrado una razón de ser para su vida inválida: de lunes a viernes se dedicaría a una protesta silenciosa ante la organización interamericana. Y eso es lo que hacía.

La Organización de Estados Americanos jamás en las últimas décadas tuvo una acción que fuese más allá de la "inspección" y la

97

"mediación" ante los graves hechos que han sucedido en el continente. Los prohombres de nuestra diplomacia han pasado las últimas décadas tejiendo floridos conceptos verbales, agradeciéndose los unos a los otros por la cortesía de su ilustre contribución en el augusto foro de la OEA, sin llegar a resolver una sola de las críticas situaciones del continente.

La OEA es el chiste local entre la prensa en Washington. Cada vez que convoca a una reunión se sabe de antemano que empezará unas horas más tarde de lo programado. Y se sabe que habrá montañas de papel en las cuales serán impresos decenas de discursos... así como se sabe también que al final no quedará nada más concreto de sus reuniones que esas mismas montañitas de papel impreso. ¿Reunión de la OEA? "Oh, olvídate de volver a tiempo para el cierre de la edición". Eso es lo que piensa el periodista que tiene que cubrir alguna cita de la organización.

La OEA no resolvió nada cuando en Chile y Argentina desaparecía gente a diestra y siniestra. Fue igualmente inútil cuando Inglaterra, potencia extracontinental, llevó su flota a las islas Malvinas en violación de la doctrina Monroe de "América para los americanos". Cuando la agresión extracontinental fue doctrinaria, como en el caso de la importación del marxismo a Cuba, la OEA también fue incapaz de hacer nada. Cuando el general Noriega llevó a su Panamá querido al borde del abismo, la OEA brilló haciendo lo que usualmente hace: viajes de "inspección" y "mediación".

Recuerdo el caso de Haití.

Fue típico de la América Latina cuando en el empobrecido y terrible Haití, el general Raoul Cedras efectuó un golpe de Estado y derrocó al primer gobierno democráticamente electo en toda la historia de su país.

La Organización de Estados Americanos inmediatamente montó un viaje de inspección *in situ* a Puerto Príncipe. Se trataría no sólo de una inspección, sino también de una mediación para convencer al general Cedras de que abandonara el poder y se lo devolviera al legítimo presidente, Jean Bertrand Aristide.

El gobierno de Canadá prestó un avión militar para transportar a Puerto Príncipe al grupo diplomático de la OEA. Acompañó a la delegación la entonces ministra de relaciones exteriores de Canadá. La presidió el entonces secretario general de la OEA, Joao C. Baena. Y estaban presentes todos los miembros de la comisión especial para Haití compuesta de embajadores de varios países. Yo iba a bordo con mi camarógrafo, Víctor Manuel Ulloa.

Después de varias horas de vuelo, el avión descendió sobre Puerto Príncipe. Había nerviosismo en la cabina de pasajeros. Se hablaba de "los peligros de guerra", de los "sacrificios de los diplomáticos".

Yo, que acababa de regresar a Estados Unidos después de casi un año de guerra en el Golfo Pérsico, creía estar acostumbrado a esos peligros y sacrificios. Nuestra llegada al aeropuerto de Puerto Príncipe fue en una tarde de calma adormecedora. El calor era agobiante. Nada se movía. La misión de la OEA descendió las escalerillas del avión y en fila india fue llevada a una salita a donde después de un largo rato llegó el general Raoul Cedras. El general los hizo esperar. Llegó tarde, y lo hizo con un grupito de soldados que se quedó a disparar sus fusiles al aire en la pista de acceso al aeropuerto. Quizás fue para intimidar a la misión, o quizás simplemente porque así era el Haití del golpe de Cedras... El hecho es que, asustados y temiendo por sus vidas, los miembros de la misión volvieron a la carrera al avión, precedidos por el secretario general. Cerraron la puerta y en pocos minutos estaban en el aire rumbo nuevamente... a la civilización.

Yo me quedé en el Tarmac del aeropuerto, junto a mi camarógrafo, con la boca abierta viendo el espectáculo de los diplomáticos corriendo ante unos soldados que a la distancia disparaban al aire. La situación hubiese sido verdaderamente cómica si no hubiese estado en el trasfondo el sufrimiento del pueblo haitiano.

Los soldados se rieron a carcajada limpia. Mi camarógrafo y yo rehusamos subir de regreso al avión y nos quedamos un mes en Haití documentando lo que pasaba. En cuestión de minutos, con unos cuantos disparos, habían provocado la estampida de la misión...

En las calles de Washington de vez en cuando caminé desde la Columbia Road hasta la OEA empujando al Cojo en su protesta callada contra la ineficiencia de la organización.

El ejército de Haití, que jamás estuvo equipado con fusiles de repetición, había recibido modernos Uzis israelíes en los días anteriores al golpe. El cargamento de Uzis había llegado por vía marítima a Puerto Príncipe.

Lo que sucedió es que Jean Bertrand Aristide tenía reputación de izquierdista y la derecha había resuelto sacarlo, con la venia de los organismos de inteligencia del occidente. Si las armas para el golpe venían de Israel, el conocimiento del mismo lo debía tener la agencia central de inteligencia de Estados Unidos. Me enteré de todo esto mientras me albergaba cómodamente en el hotel Montana, que domina desde la altura la miasma de Puerto Príncipe. Quizás por eso fue tan difícil devolverle un gobierno civil a Haití.

Al cabo de un mes en Haití la compañía fletó un jet Lear para recogerme y llevarme de regreso a Estados Unidos. De vuelta en Washington me entrevisté con el presidente exiliado haitiano, Aristide. El hombre había cifrado sus esperanzas en la OEA. Sus ilusiones se despejarían muy pronto. La OEA no hizo nada efectivo. Detrás de la gran maraña de su nada-que-hacer a veces suele aparecer una mano que tira la piedra y luego pregunta quién fue. Así fue en el caso de Haití.

Vez tras vez pidió Aristide el apoyo interamericano para acabar con el régimen de Cedras. Vez tras vez se produjeron "viajes" de la misión especial de la OEA. Vez tras vez Estados Unidos prometió todo su apoyo a Aristide ...y nada.

Es que había un secreto a voces: "Aristide es un izquierdista"... y "es mejor un dictador de derecha que uno de izquierda" ("del comunismo nadie se repone"). Y así, con esa duplícita actitud tan propia de la naturaleza humana, el caso de Haití quedó sin encontrar respuesta a manos de la organización. Sólo un cambio de gobierno en Estados Unidos —con la llegada de Bill Clinton— pudo finalmente sacar fuera a Cedras, y fue en las Naciones Unidas, no en la OEA, donde se encontró el arreglo.

Ésa era la organización que el Cojo protestaba día tras día en primavera, verano, otoño e invierno, sentado en su silla de ruedas frente a sus puertas, a través del frío y del calor, con sus piernas marchitas y el aliento lleno de alcohol, pero con un corazón que no le cabía en el pecho. Protestaba una organización donde se entronizó la esquizofrenia social latinoamericana con su frívolo desprecio a sí misma.

Es la misma organización que nada pudo lograr en la América Central. Finalmente fueron los propios presidentes centroamericanos, en sus reuniones del tratado de Esquipulas, los que consiguieron hacer algo.

***

La reunión final en la serie de Esquipulas se efectúo en la ciudad de Guatemala. Los tratados habían sido preparados y sólo faltaban sus firmas. La derecha apostaba a que los sandinistas jamás los firmarían y así quedaría "legalizado" el derecho de los contras a entrar a Managua a sangre y fuego. La izquierda, esquizofrénica también al fin y al cabo, quería ser aceptada en el club de la derecha sin perder su asiento en el de la izquierda. Por eso cooperaba.

El resultado es que no se sabía qué irían a hacer los sandinistas. Se portaban como la mujer querendona, que cuando decía no intimaba un sí... y como la novia esquiva, que cuando decía sí actuaba como si fuera "no". Eso precisamente es lo que dije en un largo reportaje que transmití por satélite desde la ciudad de Guatemala hasta el centro de transmisión de la rebautizada Univisión en Laguna Nigel, California. Lo hice parado frente al hotel donde se celebraba la reunión y donde estaba alojado el comandante Daniel Ortega Saavedra. Los sandinistas, había dicho yo en mi transmisión, son la novia esquiva de esta boda. ¿Darán el sí... o no?

Después de la transmisión, Manuel Espinosa, el encargado de prensa de Ortega, me adelantó que el comandante había decidido dar el sí, demostrar su integridad. Firmaría, me dijo, los tratados.

Sería a la derecha a la que le correspondería probar su veracidad. Ortega en esto fue hombre de palabra. Sus errores podrán haber sido muchos, pero fue de palabra. Los sandinistas se comprometieron a celebrar elecciones limpias y supervisadas. ¿Por qué? Quizás porque en el espejo en que miraban sólo veían su propio reflejo y pensaron que en Nicaragua no habría nada más que sandinistas...

Ambas partes "jugaron" a los tratados como quien juega al póker, tratando de espantar al contrario.

Mientras tanto acababa de haber otra revolución, esta vez en... mi propia cadena de televisión.

La transmisión que hice desde Guatemala no fue enviada a nuestra central de satélites en Miami.

En SIN se efectuó una revolución y se llamaba ahora Univisión. Emilio Azcárraga Milmo, el Don de la Telenovela, había reestablecido su control sobre la televisión en español en Estados Unidos. La advenediza Univisión sería puesta en el imperio de Televisa, su cadena. Para esto había mudado los cuarteles generales de Univisión del cubano Florida al mexicano California.

Anunció que llevaría de México a Jacobo Zabludovsky como jefe de noticieros de Univisión. El nombramiento de Zabludovsky, un hombre de reputación como periodista "alineado", fue visto con horror por el plantel de Univisión.

El periodismo de Televisa bajo Zabludovsky difería tanto en estilo como en sustancia del periodismo practicado en Estados Unidos. Para empezar se presentaba la visión "telenovela" de la realidad. Se admitía sólo lo oficial. Se tamizaba todo por el filtro de lo aceptable. Y se creía que esa imagen "guiaría" a la realidad hasta moldearla. Fake it 'till you make it...

Los periodistas de Univisión reaccionaron con prontitud. Se fundó un nuevo grupo —HBC—, predecesor de Telemundo. Azcárraga, "El Tigre", vio en esto una reacción "cubana" a su cadena "mexicana" y de allí la decisión de mudar la sede central de Univisión del cubano Miami a los mexicanos suburbios de Los

Ángeles, en Laguna Nigel, California... La movida no funcionó por varios motivos.

Miami, para empezar, es una ciudad latina, americana... y latinoamericana. Aquí se conjugan el corazón latino y la mente estadounidense, y ambos se respetan mutuamente. Los negocios se manejan con la eficacia americana. La vida se conduce con el corazón y el idioma latinos. Estados Unidos será el motor que mueve al mundo, pero aquí en Miami ese motor tiene corazón latino... No es así en Los Ángeles.

Con aproximadamente unos 35 millones de hispanos, Estados Unidos es uno de los países latinos más grandes del mundo... y Miami tiene un corazón palpitante de latinismo. Aquí tener corazón latino no es un orgullo: es lo normal.

En California y el suroeste de Estados Unidos, el latinismo todavía es cuestión de orgullo... porque su presencia todavía es objeto de debate allá... No es normal.

Dicen que el idioma encierra el corazón de un pueblo. El idioma transmite su sentir, su aprecio del mundo, su manera de vivir. Uno vive encasillado por las limitaciones idiomáticas dentro de las que funciona. Para utilizar una palabra de la informática moderna, el lenguaje nos... "formatea".

En Miami el espíritu latino vive con lozanía en parte porque su corazón —el idioma español— es el idioma indiscutible de todos los días. En el café, en el supermercado, en la gasolinera, en el departamento de vehículos automotores, en donde uno esté, allí el español es el primer idioma y el que lo habla se reviste de su dignidad. No así en California.

En California el idioma español todavía vive oculto en los barrios y en los valles. Cuando se le habla en otros lugares se le pronuncia... en voz casi baja, y en consecuencia el latinismo californiano es de espíritu ...no tan lozano. Allí no hay duda de quién impera: el imperio del inglés. California, cuna de incontables movimientos antiinmigrantes, de propuestas para hacer el inglés el idioma único, es un lugar donde la hispanidad todavía se defiende porque allí está bajo ataque.

En Florida se rescata la sufrida dignidad latina del sur de la frontera. En California se le reprime, no se le quiere, se le niega la entrada. Y a pesar de tener mayoría mexicana en muchísimos de sus condados, ésa es una mayoría cuyo formato, el idioma español, es doblegado por los que manejan la maquinaria.

La mudanza impuesta por Azcárraga a Laguna Nigel, California, estaba destinada al fracaso por esa razón. Porque la lozanía del idioma simplemente no esta allí.

El Tigre, para escapar del cubaneo miamense al que culpaba de sus problemas, se había mudado al mexicanismo de California donde el corazón hispano es víctima de ataques repetidos.

El Tigre se dio cuenta del error... y volvió a Miami.

Mientras tanto, los tratados de paz de Esquipulas habían sido firmados en la ciudad de Guatemala. Yo había sido testigo no sólo de esa histórica ocasión, sino de todo el proceso conducente a ella. Me enorgullecía de mi papel. Creía haber servido de instrumento para la paz mostrando lo que ocurría. No sé si fue así, si mi percepción haya sido correcta.

Un cuento del alacrán y el sapo.

Un alacrán quería cruzar el río, pero no podía hacerlo porque no sabía nadar. Le pidió al sapo que lo transportara en sus espaldas. "Pero tú estás loco —le dijo el sapo—, todo el mundo sabe que eres un alacrán y me vas a picar." "El loco eres tú —le contestó el alacrán—, si te pico te hundirás y me ahogaré. No me conviene picarte." El sapo lo pensó y se dio cuenta de que el alacrán hablaba con sensatez. Lo subió a sus espaldas y saltó al río para cruzarlo. Estaba ya a medio camino cuando sintió el aguijón del alacrán sobre su espalda. Empezó a hundirse y entre las burbujas, con un gran esfuerzo, le preguntó al alacrán: "¿Por qué?" "No lo pude evitar —le respondió el alacrán—. Picar... está en mi naturaleza."

Mi naturaleza era ...no sé, "bicicletera". Así pues, cuando se firmaron los tratados de paz de Esquipulas mi primera reacción fue salir... Había que salir al campo de batalla a ver si en verdad eran implementados.

Llegué a Managua y de allí, con un camarógrafo local, mexicano, y un sonidista mitad indio misquito y mitad chino, me fui al río Coco. En las cercanías de una localidad llamada Wiwili, escuché el retumbar de armas de gran calibre. Las explosiones venían de las montañas de Pantasma, al este de Wiwili.

Decidí ir a ver qué pasaba. El retumbar venía de la cima de las montañas y la única manera de llegar allí era a lomo de bestia. Alquilé cuatro mulas. Cuando aparecieron ya era demasiado tarde en el día y decidimos dormir esa noche en un corral de vacas. Esa noche me desperté con un sueño erótico. Una garrapata se había colocado sobre mi pene y me estaba chupando la sangre ...¡allí!

Empezamos temprano al día siguiente a subir la cordillera de Pantasma. Hacia el atardecer estábamos cerca de la cima cuando tropezamos con tres batallones ligeros de la infantería sandinista, de 15 hombres cada uno. Acabábamos de encontrarlos cuando una brigada de la contra cayó sobre ellos en un ataque con RPG's. El RPG o granada china es una granada a propulsión (*rocket propelled granade*) disparada desde un tubo llevado al hombro. De los 45 integrantes de los BLI's sandinistas, 11 murieron en el ataque y 18 quedaron heridos. A mi equipo de cámara no le pasó nada. Perdimos las mulas que fueron cargadas con los heridos más graves.

Me encontré así de pronto en el ojo de un huracán. En un momento había estado en una apacible calma meciéndome con el andar de mi mula y en otro estaba arrastrándome por el suelo en busca de refugio. En un respiro del combate me levanté para andar agazapado hacia un lugar del que no venía ruido alguno, hasta que de pronto delante de mí vi un cadáver fresquecito del cual sólo quedaba la mitad del cuerpo, de la cintura para abajo, con el espinazo íntegro sobresaliendo como fierro clavado en la cintura. Así, en un abrir y cerrar de ojos, me di cuenta que estaba en terreno minado. El cuerpo no dejaba lugar a dudas. Hacía unos minutos ese soldado había corrido a ese lugar de silencio aparente sólo para caer víctima de una mina saltarina, de ésas que explotan al nivel del pecho. Por eso los contras no cubrían esa zona... y allí era a donde había ido yo. Se me pararon los pelos de punta. Me congelé. Salí pisando por donde había pisado al entrar. Y así, mientras continuaba la batalla, me di la media vuelta y volví sobre mis pasos. Cuando regresé ya todo había terminado. Los contras se habían retirado, pero estaban en las inmediaciones. Se escuchaba el ruido que hacían desde lejos.

Los sandinistas planearon una retirada inmediata y yo me fui con ellos. No me quedaba otra. Los sobrevivientes, machete en mano, cortaron varas de árboles delgados y fuertes y ensartaron a los muertos en ellos: Un palo, un muerto —amarrado al palo con soguilla—. Para los heridos graves se unían dos palos. Salimos así, cargando a muertos —los llamaban "piras"— y heridos. Al inicio ayudé a cargar un herido, pero tropecé y el pobre herido... Cambié de puesto para ponerme a transportar un muerto. Sufriría menos en mis manos.

La zona donde ocurrió la emboscada está en la frontera con Honduras. El nombre de "Honduras" describe perfectamente la geografía del lugar: es una sucesión interminable de montañitas separadas por honduras de 100 o 200 metros. Es un lugar de vistas hermosas. Para mí, cargando un cadáver, se volvió una pesadilla. Me resbalaba en las cuestas abajo y me tropezaba en las cuestas arriba. Afortunadamente, todo el grupo paraba en las cimas para reagruparse y yo aprovechaba —junto con los demás— para tirarme al suelo. Usaba el muslo del cadáver como almohada y en una ocasión me quedé dormido sobre él.

La retirada la efectuábamos a paso forzado. Existía el temor de que pudiésemos caer en otra emboscada. Nos dirigíamos a un cuartel sandinista en Las Segovias, al otro lado de las montañas de Pantasma, opuesto a Wiwili. La marcha forzada duró toda la noche. Al amanecer llegamos a nuestro destino.

Tras un descanso volvimos a donde alquilamos las mulas, ubicamos allí nuestro vehículo y volvimos a Managua. Llamé a Miami y tomé el siguiente avión.

A mi llegada a casa me esperaría una batalla más.

4

Mi regreso a la normalidad después de la emboscada en las montañas de Pantasma fue mucho más difícil que la misma emboscada. Yo no me di cuenta de cuánto me había afectado la experiencia. Lo más difícil durante la retirada había sido el aguante físico de la odisea. Emocionalmente me mantuve intacto. Recuerdo que en la interminable serie de hondonadas por las que tuvimos que pasar siempre fijaba mi voluntad en subir la cuesta frente a mí y me olvidaba de las demás. Los alcohólicos anónimos le llaman a eso "un día a la vez". Para mí la retirada fue "una cuesta a la vez". Emocionalmente, mientras escapaba al peligro, estaba entero. Físicamente estaba destrozado.

Mi condición de alerta emocional y agotamiento físico empezó a cambiar durante el vuelo a Washington. Dormí la mayor parte del tiempo. Cuando finalmente descendí sobre la capital, me encontré mirando al mundo como si estuviese viéndolo desde el interior de una nube. Había una barrera de por medio, algo que me insensibilizó y me impidió actuar con fluidez. Había entrado en una depresión que en mi caso se caracterizó por una gran lentitud ...era como uno de esos sueños en cámara lenta... Y me salió un tremendo resentimiento hacia todo. Fue como si algún instinto me hubiese mantenido alerta y bien mientras duró el peligro físico, pero tan pronto me vi en terreno seguro me desplomé.

El cuerpo me dio hasta llegar a casa, en uno de los suburbios de clase media alta de Washington. Una vez en las escaleras de entrada, me paré, sin poder terminar de entrar. La escena está grabada en mi mente. Lo peor es que mi esposa no sólo no entendía, sino que no le importaba lo que me sucedía. No pertenecíamos al mismo mundo. Nos habíamos casado a principios de la década de los años ochenta por una afinidad en la falta de balance...

Yo era como una pirámide invertida donde nunca se sentó la base, donde la cúspide alta y angosta era la que reposaba en el suelo, mientras que su base ancha y masiva se balanceaba en las alturas. Yo era cabeza desligada de su sentimiento. Había un divorcio en mí entre lo afectivo y lo cerebral: era mi manera de sobrevivir. Lo afectivo lo tenía ahogado en droga y alcohol. Lo cerebral, muy bien, gracias. Los tambaleos de mi amplia cúspide cerebral, cada vez que mi estrecha base emocional temblaba, eran frecuentes. He visto gente parecida en la cual la salida está en episodios de rabieta. He visto a adultos a los que les dan pataletas de niño. Mi salida emocional fue otra, la del ahogo... no sabía qué otro desahogo tener. Crecí con el adagio de la burguesía: sé discreto, sé controlado. Y discreto y controlado fui hasta el punto que me perdí en una selva de discreción y control... Ése es otro de los significados de "renacer"... superar las circunstancias de nuestros orígenes. Superar esto me fue muy pero muy difícil.

Yo crecí en una vida rodeada de tanta discreción y tanto control... que sólo pude salir de sus moldes en grandes explosiones de pérdida de control... Y las explosiones ocurrían. La naturaleza, después de todo, no puede ser negada. Esas explosiones emocionales fueron otro de los factores que condenaron mis matrimonios al fracaso. En mi infancia quedaron sentadas las bases para una relación muy ambivalente con el mundo.

Crecí asustado y con ese complejo doble de inferioridad-superioridad muy propio de mis orígenes. Fui para colmo un chico despierto, de modo que absorbí al máximo esa herencia duplícita. Bebí de mi vaso a una velocidad impresionante y cuando llegué a la adolescencia ya estaba muy marcado. Fui extremadamente vanidoso y acomplejado a la vez. Tenía al mismo tiempo una gran compasión por los demás… y un gran temor por todo aquel que me manifestase cariño.

Me pasmé. Llegué a mi tardía adolescencia en un estado catatónico total.

Conocí a mi primera esposa en el lobby del hotel New Yorker, en Nueva York, en julio de 1964, durante un viaje de promoción de dos escuelas de Lima. Teníamos 17 y 16 años, respectivamente. La busqué ansiando normalidad, a pesar de que temía la proximidad humana… quería a toda costa vencer ese miedo.

No fue fácil. Pasamos un primer año bello, de descubrimiento mutuo. Después de eso tomó control de la relación el temor que sentía hacia la emoción y el amor.

A veces las vidas humanas se tejen en trenzas sin que nos percatemos de ello. Una de esas trenzas se tejieron entre las familias de Elsa —mi primera esposa— y la mía. Nuestros abuelos habían sido amigos en la sierra del Perú, dos ganaderos que hicieron fortuna entre ambos: mi abuelo vendiéndole ganado al abuelo de Elsa a lo largo de varias décadas. Nunca se volvieron a ver. Fueron sus nietos los que se reencontraron, dos generaciones después.

Un año después de habernos conocido me enteré en Lima que se estaban ofreciendo becas completas para estudiar en Estados Unidos. Elsa y yo postulamos a las becas y ganamos dos de ellas. Fue así que en abril de 1966 llegamos primero a Brattleboro, Vermont, y luego a Buffalo, Nueva York, a estudiar. Queríamos ser maestros.

Mi adaptación americana fue un desastre. No estaba adaptado, para comenzar, ni siquiera a mi nativo Perú. Mucho menos me iba a adaptar al foráneo Estados Unidos. La beca la había ganado por mi precocidad intelectual. Si se hubiese examinado mi personalidad, estoy seguro que hubiese sido rechazado.

Mi primer semestre en Estados Unidos fue excelente desde el punto de vista escolástico. Pero conmigo llegó hasta Buffalo mi eterno temor a la realidad.

En esa ocasión mi temor tomó la forma de un miedo al fracaso estudiantil. Fue tal ese temor que no hice nada más que estudiar de lunes a viernes para evitar el fracaso y acabé sacándome la nota mayor en todos los cursos: A. El decano envió un certificado de mérito a mis padres y me convertí en héroe intelectual. Poco sabían de mi catástrofe personal, o si lo sabían no lo manifestaban. Los fines de semana empecé a salir con un amigo hondureño, Hibrahim Pineda, y con él comencé a beber en cantidades. Bebí en demasía desde un comienzo porque mi intención no era otra que perder el contacto con la realidad. Unos meses después sustituí el trago por la yerba.

Era la época de Vietnam. La mariguana era muchas cosas en ese tiempo. Era droga. Era protesta. Y era también moda. La fumaba la gente "in" y yo quería ser "in", pertenecer. Desde aquella primera vez en que la probé no paré de usarla por 23 años. Fue amor a primera vista. Encontré más fácil el amor de sustancias que el amor de personas. Era un amor que no pateaba... y además me quitaba de encima a la realidad... Me enamoré de ella, doña María-Juana.

Elsa no compartió ni mis vicios, ni los problemas de mi personalidad. Dos años después nos casamos. Fue un matrimonio de cuento de hadas, en la iglesia del momento en Lima, con dos ceremonias por separado, con tremendas fiestas en medio de gran derroche, y en el centro, como protagonistas, dos criaturas de 21 y 20 años de edad, con un desconocimiento total de la vida...

Pero quién dice que no hay belleza en lo patético. También hubo belleza en nuestro matrimonio, aunque trágica, marcada por mi patológico rechazo a la realidad.

Tuvimos tres niños en rápida sucesión, y en rápida sucesión también pasamos del amor a la desesperación. Yo la culpaba injustamente de mi desesperación. Supe desde un primer instante que acabaríamos divorciándonos y no tenía el coraje para admitirlo... ¡Si no podía admitir ninguna realidad! Se había entronizado en mí una personalidad catatónica. El resultado es que nuestro matrimonio se prolongó por diez años de agonía y de creciente alcoholismo y drogadicción de mi parte.

Los años desde mi graduación los había pasado de profesor en el Perú. Me gradué primero con un bachillerato en ciencias en el Canisius College de Buffalo, Nueva York, una universidad jesuita, y luego con una maestría en artes en el State University College of New York, también en Buffalo. Así, título en mano, había vuelto a mi Lima natal y me había dedicado a la enseñanza.

Fui un buen profesor. Me encantaba pintar ante mis alumnos retratos de esa realidad en que yo mismo no podía vivir... pero que sí podía ver para otros. La práctica de maestro me sirvió de mucho en mi posterior carrera de periodista.

En el ínterin, socavado por esa ansiedad constante que me comía, di rienda suelta a mi escapismo. Ahora en mi mente era todo mi ambiente el culpable de mi falta de adaptación, y es así como me fui a trabajar unos meses en cuatro comunidades indígenas en la margen oeste del río Mantaro, uno de los que dan origen al Amazonas. A cerca de cuatro mil metros de altura están Sicaya, Mito, Aco y Matahulo, cuatro empobrecidos pueblitos que en ese tiempo eran unidos por una polvorienta carretera casi sin tránsito alguno. Quizás uno o dos vehículos al día pasaran por allí.

Viviendo en Sicaya aprendí a masticar la hoja de coca, cosa que hacían los padres de familia de la casi totalidad de estudiantes del pueblo... Viviendo también en Sicaya llegó un equipo de filmación de la BBC de Londres.

El río Mantaro forma en algunas partes un valle muy angosto y muy profundo. Una de las cumbres bajo las cuales serpentea el río se quebró a unos 100 kilómetros al sur de Sicaya. La cumbre entera de un cerro cayó como tapón sobre el río, creando en él una represa natural. Era 1974. La represa embalsó las aguas y formó una especie de fiordo en los Andes. El valle entero se cubrió de agua de ladera a ladera.

Un grupo de ingenieros del ejército peruano pronosticó que cuando el embalse llegase a 32 kilómetros, la presión del agua rompería la represa natural. El resultado sería devastador: 100 kilómetros río abajo de la represa serían arrasados por las aguas. Para filmar ese hecho llegó desde Inglaterra un equipo de filmación. Yo, que desde niño me sentí atraído por lo espectacular, me fui a verlo. Al igual que años antes había sentido un amor a primera vista por la mariguana, en esta ocasión sentí un amor a primera vista... por la cámara. Me enamoró que fuese un instrumento manual capaz de producir gran belleza.

Para ese entonces mis inseguridades me habían llevado a rechazar hasta mi formación profesional. Había empezado a sentirme inseguro como maestro. Había comenzado a rechazar mi propio intelectualismo. Y es entonces que me di cuenta —junto a ese equipo de la BBC— de las posibilidades infinitas de la cámara. Vi en la cámara mi futuro. Es que dudando de mi intelectualismo había decidido buscar un oficio. Lo encontré allí, ese día, en el río Mantaro.

Me había separado de mi mujer antes de ir a Sicaya. Me había mudado a la torre norte de una iglesia abandonada después de la guerra entre Chile y Perú en 1879, la iglesita del Puente de los Suspiros, en Barranco, Lima. Era una iglesia de barro y adobe. El cura de la parroquia había vivido en su departamento en la torre norte. Yo no fui su primer inquilino de este siglo. Otro joven, Pancho Mariotti, había estado allí antes y había pintado las paredes con dibujos psicodélicos. La electricidad salía de un poste de alumbrado contiguo a la iglesia, y el agua de la casa del vecino. Me acomodé allí, un Descalzi en su primera manifestación pública de rebelde social. Tenía a James Dean dentro de mí. Por mi torre de barro y adobe pasaron muchos de los tempranos bohemios de una Lima que recién empezaba a despertarse a los hechizos de la droga.

Ricardo Palma, en sus "Tradiciones Peruanas", popularizó el dicho de "El que no tiene de Inga tiene de Mandinga". Se refería a esa peculiar afectación peruana de querer negar su raíz inca. Muchos ven todavía con horror la insinuación de que en sus venas fluya sangre indígena o que su espíritu albergue la cultura inca. Y en un país donde la inmensa mayoría es quechua, este idioma no se estudia en la escuela. El espíritu y el corazón inca están así machucados y estrujados todavía... pero su herencia sigue allí, aunque se le niegue. "El que no tiene de Inga tiene de Mandinga"... Ricardo Palma.

Por mi departamento del cura de la iglesia del Puente de los Suspiros en el jirón Abregu pasaron muchísimos buscadores del camino del inca. Llegaban llenos de mágicos cuentos de cómo el inca vivió colindando con el mismo cielo a casi cinco kilómetros de altura sobre el nivel del mar. Me hablaban de los mágicos hombres de piedra, de los descendientes de los antiguos incas. Hablaban de las maravillosas cumbres, de pueblos perdidos, de gente heroica... y me dije "tengo que buscar esas maravillas yo también". Pasarían 23 años antes de que lo lograse. Mi atención se desvió en Sicaya, y de la búsqueda de mi raíz interna pasé a la búsqueda de una nueva raíz, externa, con mi encuentro con el arte de la cámara.

De regreso de Sicaya a mi departamento en el Puente de los Suspiros me acosó nuevamente la inseguridad... Es que iba a abandonar la profesión para la que me había preparado durante años, la educación, para abrazar a ese nuevo amor, la cámara... y me moría de miedo de hacerlo. Me agarró miedo dejar lo poco que había adquirido a lo largo de los años desde mi graduación en Buffalo.

En eso entró a talar el destino.

Un terremoto en el verano del 74 destruyó la torre norte de la iglesia en la que yo habitaba. Pegó temprano, a las ocho de la mañana de un día sábado. Yo estaba durmiendo y mi papá había ido a visitarme. Estaba tocando la puerta y acababa de levantarme para abrirla cuando se inició el terremoto. Creo que en caso contrario, de no haber estado ya de pie, de no haber estado allí mi padre tocando a la puerta, no habría atinado a salir a tiempo. El

113

hecho es que se cayó mi casita y con ella se destruyeron todos mis enseres. Todo el interior de la torre se desplomó. Su pared exterior sigue en pie hasta el día de hoy.

Con la pérdida de todo lo que tenía me vi pues obligado a reconstruir desde abajo. La catástrofe me dio así la oportunidad de empezar de nuevo. El destino se había encargado de despejar mis dudas. El camino delante de mí estaba abierto para el cambio de profesión. Así liquidé lo poco que me quedaba y me alcanzó lo suficiente para comprar un boleto de Lima a San Francisco, California. ¿Por qué San Francisco? Porque estaba en California, que era, después de todo, la Meca del cine.

***

Cuando llegué a San Francisco no había allí ninguna estación de televisión en español de tiempo completo. Un canal, KEMO, canal 20, transmitía en español apenas unas horitas a la semana y nada más. René Anselmo, el presidente de SIN, acababa de conseguir una licencia de operación para la primera estación de televisión de tiempo completo en español: KDTV, canal 60 —la "Telesesenta" —, de la Bahía de San Francisco Television Company. Enrique Gratas, su primer director de noticias, fue quien hizo de la estación un éxito. Yo fui a tocarle la puerta un día de agosto en 1975. Todos estaban ocupados en darle los toques finales a la estación. El mismo René Anselmo estaba pintando paredes. Gratas me aconsejó que esperase el momento adecuado para hablar. Cuando éste se presentó, Anselmo me sacó a hablar en la calle. El interior era un caos. Mi entrevista de trabajo fue así, en la calle, apoyado sobre el buzón de correo en la esquina contigua a la estación. Me preguntó qué quería y le contesté que aprender cámara. "No tengo conocimiento alguno de televisión —le dije—, pero soy un buen trabajador y tengo una buena formación académica." Recuerdo que ésas fueron —precisamente— mis palabras... y me respondió: "Contratado", así, sin más ni más. Anselmo siempre se guió por su nariz.

114

La televisión en español en Estados Unidos se inicia en 1968 cuando René Anselmo y Emilio Nicolás fundan el primer canal de la SIN en San Antonio, Texas. Le siguen rápidamente una estación en Los Ángeles formada en sociedad con Danny Villanueva, una en Miami con Joaquín Blaya y una en Nueva York con Iván Egas. Fue una operación primitiva donde los videos se intercambiaban entre las estaciones por vía aérea. Unos años después se abrieron operaciones en Fresno y Hanford, California, y cuando se abre KDTV en San Francisco las enlazan por primera vez por microondas.

Anselmo había trabajado en la ciudad de México como productor en la cadena Televisa de Emilio Azcárraga Milmo y lo había convencido de que el producto de su cadena —Televisa— podía encontrar terreno fértil en Estados Unidos.

Azcárraga le cedió a Anselmo los derechos de retransmisión en Estados Unidos por una suma irrisoria... después de todo no arriesgaba nada. Ya Televisa era un negocio exitoso en México. Si su producto pegaba también en Estados Unidos... bien. Si no... no perdía nada. Era un experimento. Y así se fueron a transmitir Televisa en San Antonio, Texas, en 1968, donde junto con Emilio Nicolás abrieron la primera estación de televisión en español en todo Estados Unidos. Siete años después, cuando llegué a San Francisco, Anselmo no había dejado de correr con su idea.

Enrique Gratas fue mi primer jefe en KDTV. Yo, delgado, intenso y nervioso... Enrique se dio cuenta de quién era desde el primer momento. Allí no hubo engaño... y aun así me tendió una mano franca de amigo. No por franca ciega. "Un día —me dijo—, voy a tener que recogerte de algún hospital." Palabras casi proféticas. No me recogió de un hospital pero sí de la calle...

En KDTV aprendí cámara y de manera casi natural pasé al periodismo. Empecé como cargador, llevándole los bultos al camarógrafo oficial, Bill Nieves. Haciendo eso aprendí el negocio y cuando se presentó la oportunidad pasé a camarógrafo. Fue una oportunidad única. Todo el mundo usaba 16 mm en ese entonces.

El video recién se introducía. Los camarógrafos establecidos no querían tocarlo. Juraban que morirían con película. El video estrechaba demasiado los márgenes de calidad. Fue por eso quizás que tuve mi oportunidad de entrar al medio: había espacio para mí porque nadie establecido quería meterse a video, y menos en UHF... en español.

Pisábamos en terreno virgen. No había patrones de conducta establecidos en la televisión en español.

Eran los años gay de San Francisco. La ciudad era cuna del homosexualismo estadounidense. En esa era preSIDA los clubes sexuales abundaban en las calles Folsom, Castro y Polk. En una noche, un hombre fácilmente podía tener contacto con diez o veinte.

Eran todavía también los años hippies de San Francisco, donde la mariguana era tan común que el usuario no buscaba mera mariguana, sino alguna variedad especial de ella: sin semilla, roja de Panamá, palo de Tailandia, del condado de Humboldt, etcétera.

Y eran los años revolucionarios de San Francisco, cuando Patricia Hearst era todavía una fugitiva con el ejército de liberación simbionés. A Joan Báez se le veía de cuando en cuando en las calles de la ciudad, tocando su guitarra a favor de alguna causa popular como en los años sesenta durante la guerra de Vietnam.

Era también el San Francisco eterno, con sus montañas y su belleza, con su tremendo poder económico y cultural. Era, en suma, un San Francisco como siempre lo fue, refugio para el desamparado y el marginado.

San Francisco también fue y es refugio de las izquierdas, algo así como Miami fue y es refugio de las derechas. A ese San Francisco acudió la izquierda nicaragüense refugiándose de Somoza; a Miami fue la derecha nicaragüense refugiándose de los sandinistas... La inmigración de El Salvador empezó a llegar en los años ochenta, y temprano en la década de los setenta habían llegado a esa ciudad en el norte de California unos 40 mil guatemaltecos, refugiados muchos de ellos de las matanzas de indios en su país. Los guatemaltecos constituían la colonia hispana más grande de San Francisco en esa época.

El 12 de febrero de 1976, un fuerte terremoto destruyó gran parte de Chimaltenango, en Guatemala. Afectó severamente a la capital, la ciudad de Guatemala. Más de 25 mil guatemaltecos perecieron en un instante. En ese día, en San Francisco, la colonia guatemalteca se desesperó. No había noticias de su país. Las comunicaciones se habían interrumpido. Enrique Gratas me despachó en misión especial a la ciudad de Guatemala. Fui con mi maestro de cámara, Billy Nieves. Nuestra misión era ir, recoger cuanto testimonio pudiésemos y regresar de inmediato con todo el material visual para efectuar en San Francisco un telemaratón a favor de los damnificados. Esa misma tarde estábamos en Guatemala. El pueblo con infinita paciencia removía los escombros y en sus labios estaba siempre esa frase tan guatemalteca: "Primero Dios". Después de un primer recorrido por allí nos fuimos a la zona del epicentro, en Chimaltenango, donde la mayor parte de los 25 mil muertos había perecido. Llegamos de noche. No había luz, estábamos cansados y buscamos dónde dormir. Vimos a un montón de gente durmiendo en la plaza central y allí nos tiramos al suelo. En la madrugada cuando despertamos, nos dimos cuenta que habíamos dormido entre cadáveres sin darnos cuenta. Lo que en la noche vimos como formas de gente durmiendo eran cuerpos que habían sido colocados allí antes de nuestra llegada en la oscuridad de la noche. En fin, grabamos lo que pudimos, volvimos a la ciudad de Guatemala, entrevistamos al presidente militar de turno, Kjell Eugenio Laugeraud García, y volvimos al aeropuerto a esperar el avión de salida. Queríamos alertar al mundo de la necesidad de Guatemala y para eso llevábamos nuestro video.

En el aeropuerto, antes de volver, me encontré con Julio Iglesias. Fue la primera y única vez en mi vida que hablé con el cantante. Había sido llevado allí por la cámara de turismo de Guatemala para promocionar al país. Julio estaba allí para evitar que el terremoto afectase indebidamente el flujo de turistas. Tuve la idea de entrevistarlo y el tiro me salió mal. "Pues mira hombre" —me dijo—, aquí no ha pasado nada..." Mi tarea era lanzar un alerta a la necesidad de Guatemala. La suya era la opuesta, decir que allí todo estaba "normal"... para el turista.

El telemaratón que hicimos fue un éxito. Con él, Enrique Gratas puso a la nueva estación en el mapa de la bahía de San Francisco. Hasta ese momento casi nadie sabía de nuestra existencia. Después de ese día todos sabían dónde estábamos en su dial de UHF. Nos vieron los 40 mil guatemaltecos del área y cada uno jaló a sus amistades de otros países también. Recaudamos 40 mil dólares de ese entonces para la construcción de un hospital de campaña en el lugar más afectado de Chimaltenango, el pueblito de Comalapa.

Fue una época en la que me dediqué de lleno a fumar mariguana. No es ninguna droga inocente. Hace que uno rompa su contacto con la realidad tan totalmente que aniquila el proceso de retención, aniquila la memoria corta. Me era imposible recordar nombres y rostros, por ejemplo, y empecé a caer presa de un nuevo tipo de pánico inducido por la desubicación de la droga. Me aterraba pensar que la gente se pudiese dar cuenta que yo... no me acordaba.

Elsa, mi esposa, me pidió ayuda para emigrar desde Lima. La recibí en San Francisco y nos fuimos a vivir a un departamento alquilado en San Mateo, 13 millas al sur de San Francisco. Nuestro matrimonio ya había, para todo efecto práctico, terminado pero continuaba en su agonía. Pensé en medio de mi adicción que ella no me comprendía, "porque no fumaba"... Y resolví que mi siguiente compañera sería alguien que "comprendiese". Es así como encontré a Nancy, mi segunda esposa.

***

Cuando volví de Nicaragua a Washington, luego de la odisea de la emboscada contra, Nancy no vio con bondad alguna la situación anímica en que llegué. Busqué de inmediato el único refugio que conocía: mariguana y alcohol. Ella, a modo de ayuda, lo que hizo fue llamar a la policía y meterme a la fuerza a tratamiento en un instituto psiquiátrico. Es que mi rabia contra el mundo se estaba haciendo patente y había empezado a asustarla. Obtuvo una orden judicial y con ella la policía me metió adentro...

Una noche, a menos de una semana de haber vuelto a Washington, volví a casa y la encontré sin nadie, totalmente a oscuras. No estaban ni Nancy ni las dos hijas que habíamos tenido, Natalie y Vanessa. Al poco rato, dos policías tocaron a mi puerta y cuando abrí me dieron media vuelta y me esposaron.

Fui presa de una rabia indescriptible. ¡Que me esposaran a mí, Descalzi, el reportero! Hasta ese día siempre había sido tratado de alguna manera u otra como una persona que estaba por encima de lo común. Viéndome esposado me sentí vejado y fui presa de una mezcla de rabia y pánico que nunca antes había sentido. Fue un instante en que mi mundo se vino abajo.

Mi imagen incólume quedó destrozada en un momento.

Líneas del poema *Kublai Kahn*:

Broken the golden bowl	Rota la vasija dorada
No one can now redeem	nadie podrá redimir
The desolate soul	al alma desolada.

Sí, en ese instante se quebró, se rompió la vasija de mi vida dorada... No que mi vida hubiese sido muy dorada hasta ese momento, pero yo vivía la pretensión de que así era. Pretendía que nadie se daba cuenta de lo contrario, que nadie lo sabía... y la entereza de la mentira me bastaba para convencerme a mí mismo de que era real. Ahora había sido quebrada. No habría más vasija dorada en la cual refugiarme.

En todo caso, lejos de lidiar con la verdad lo que traté rápidamente de hacer fue levantar nuevas paredes de mentira. Ésa suele ser la primera reacción de quienes llegan involuntariamente a los centros de tratamiento.

Sólo que antes me había tomado toda la vida en levantar mis paredes. Esta vez tuve para hacerlo sólo los dos meses que pasé en dos diferentes centros de tratamiento.

El primer centro, en el que estuve recluido por 30 días, fue un instituto psiquiátrico en Montgomery County, Maryland. Ese primero en que estuve resultó ser un lugar que prestaba mucha atención al lado "negocio" del tratamiento. Retenían a los pacientes mientras el seguro continuase pagando y después... lo daban a uno de alta.

Uno de esos pacientes dados de alta cuando su seguro dejó de pagar fue Steve. Dentro del centro la población de pacientes se dividía en grupos de terapia. Steve y yo estuvimos en el mismo grupo. Era un "pipero" más de variedad silvestre, flor de jardín común y corriente. El psiquiatra a cargo insistía en señalarlo como ejemplo de daño cerebral irreversible causado por cocaína. Un día, Steve me llamó a su lado. Él, me contó, vendía su cuerpo a otros hombres para financiar su adicción. Era un recuerdo que lo angustiaba y para no recordarlo buscaba más droga y para conseguirla... más hombres. Era un círculo vicioso. Había caído en un círculo vicioso.

Me lo dijo con la mayor vergüenza, sin alzar su vista. Yo quedé tan chocado por la confesión que no le contesté nada. Absolutamente nada.

Un día, el seguro de Steve dejó de pagar y se le dio de alta. Se le despidió en una reunión de todos los internos, como era costumbre, con la presencia de los psiquiatras. El nuestro aprovechó una vez más para mostrar el ejemplo de Steve como uno de claro daño cerebral irreversible. Yo observaba a Steve y vi cómo se retorcía...

Steve salió del instituto, fue derecho a la cocina de la casa de su padre y se ahorcó colgándose de la lámpara del techo de la cocina. ¿Los extremos a los que lleva la falta de aceptación, no?

Años después, viviendo ya como habitante de la calle, me daría cuenta que la persona que uno lleva dentro de sí es generalmente una persona tan asustada que no es posible conducirla a terreno seguro sin antes calmarla. Hay que calmar su angustia y a veces hay que tratar el síntoma antes de poder tratar la causa. Ése es muchas veces el caso de los adictos de cualquier especie.

Para que la persona se salve es primero necesario que se acepte. Y para eso tiene que ser... "tranquilizada". Encontrar un poco de paz, de aceptación y de amor. La crítica está de sobra, no tiene lugar en esa primera etapa. Es que si no encuentra calma, no va a detener su carrera alocada y entonces no va a ser posible que se salve. Lo más que se puede hacer es destruir a la persona y cambiarla por "otra".

Destruirla y cambiarla por otra es lo que pretenden quienes no saben lo que hacen. Destruyen al adicto y lo sustituyen con personalidades de fabricación masiva, por medio de píldoras, medicinas y la teoría del momento.

La posibilidad más real de salvación para la persona, por más torcida que ésta sea, radica en su aceptación total para, a partir de ese instante, empezar a efectuar un cambio gradual.

Es que si la persona no se acepta entonces no hay posibilidad de cambio, sólo de sustitución. Hay que sustituirla y como es imposible "crear" una persona real, lo que se crea en sustitución es generalmente... plástico.

La cura es muy riesgosa: empieza con aceptación total.

La experiencia con Steve me dejó una profunda impresión. Al ser humano hay que empezar por darle una aceptación total. Si nuestro corazón no es capaz de darse a sí mismo esa aceptación, por vergüenza, vanidad o lo que sea, hay que recordar que el corazón de Dios es tan grande que tiene cabida *para todo* y *para todos* nosotros. Que no hay nadie ni nada tan vergonzoso que Él no lo pueda aceptar... y si Él nos acepta, ¿quiénes somos nosotros para rechazarnos? Steve había estado pidiéndome aceptación. Yo fui incapaz de dársela.

Después de ser esposado y llevado al instituto pasé los primeros días allí durmiendo. La imagen que tan cuidadosamente había cultivado para poderme aceptar y ser aceptado a la vez por otros, esa imagen se había destrozado. Quedé incapacitado para enfrentar la nueva realidad de mi persona. Cuando a los tres días me levanté, quedé en una situación de semipostración.

Cuando por fin los doctores me dieron de alta un mes después, mi jefe en el trabajo insistió en que tuviera un mes más de tratamiento en Minnesota, una de las recomendaciones —entre otras— hechas por los doctores al darme de alta. Decir que eso casi me desmaya es ponerlo con demasiada suavidad. Regresé a mis síntomas de letargo sonámbulo. Fueron golpes duros que me obligaron a reconocer al ídolo que adoraba: la imagen de mi persona que yo había confeccionado en mi búsqueda de aceptación.

Hoy, tras mi periodo de meditación en la calle, veo lo duro del golpe. Precisamente por eso, porque es duro, el golpe hay que darlo con amor, con aceptación al golpeado, para que no se destroce. De lo contrario, se le quiebra.

El primer objetivo del "tratamiento" es hacer que la persona se vea a sí misma tal y como es... pero es algo peligroso.

Tras verse a sí misma, la persona suele emprender una huida despavorida que generalmente nunca se detiene. Cae en la enfermedad mental, en la disociación permanente de su ser.

Otros encuentran en sus ídolos más fortaleza que lo anticipado y sus falsas imágenes logran reagruparse y volver al mundo tal y como eran.

Y en otros aun el tratamiento produce una nueva imagen, igualmente falsa pero socialmente aceptable esta vez... la personalidad moldeada, plástica.

Y en sólo algunos el "tratamiento" deja el efecto deseado de aceptación total de quién se es, tal y como se es. Para eso el golpe tiene que ser medido: debe llevarlo a uno a darse cuenta, no a romperse... porque *broken the golden bowl*.

Desplazar el ídolo que cada uno de nosotros tiene en su interior implica primero aceptarlo, porque ese ídolo tiene que salir del escenario voluntariamente. Es un ídolo que tiene posesión de nuestro ser y sacarlo a la fuerza es destrozar nuestra habitación interior... No lo podemos hacer sin hacernos daño a nosotros mismos. Al ídolo hay que ir desarmándolo lentamente, sin destrozarlo, sin romperlo, sin partirlo. Suele ser lo más difícil de hacer en la recuperación del alcohólico y del adicto. Y cuando se le llega a desplazar fuera del escenario central de la vida, hay que ser sumamente cuidadosos. Hay que someterse inmediatamente al tratamiento de verdad y amor... Sólo la verdad y el amor reconstruirán una persona real, sólo ellos salvarán.

Mientras tanto, el momento de la reconstitución de la persona es muy delicado. Todos necesitamos un centro alrededor del cual giren nuestras vidas. Si se detiene uno tras solamente sacar del centro al ídolo interno y no se le sustituye con una presencia de verdad y amor, el vacío resultante va a producir la muerte como la de Steve o, simplemente, va a nacer otro ídolo o se va a volver al anterior. En todo caso, se va a recaer... o morir.

En Minnesota fui recluido durante un mes en un centro muy diferente al primero.

Fui a un lugar remoto en uno de los rincones más al norte de Estados Unidos, en Center City, cerca de Minneapolis. Qué lugar de belleza... está en un territorio en el que el retiro de los glaciares de la última edad del hielo dejó a la superficie de la tierra marcada como con acné, con miles de depresiones que se convirtieron en otros tantos miles de laguitos.

Allí, en lo que antes fue una tundra ártica, está ahora ese centro de tratamiento.

Tiene una motivación muy diferente. El propósito allí es espiritual.

Eso es lo que hace de él un centro tan especial. Siendo el alcoholismo y la drogadicción enfermedades que atacan no sólo al cuerpo sino al espíritu también, la recuperación espiritual acaba siendo la más difícil. El cuerpo... el cuerpo es fácil.

Este centro en Minnesota gira en torno a los principios de Alcohólicos Anónimos, los que reconocen primero que nada la naturaleza espiritual del mal que padecemos: somos espíritus poseídos por algo tan material como lo son las drogas y el alcohol. Limpiarnos es limpiar nuestro espíritu. Limpiarnos va mucho más allá de limpiarnos el cuerpo.

Allí tuve la suficiente tranquilidad para empezar el cambio.

En este lugar no intentaron destrozar mi persona desviada. Me guiaron con aceptación a terreno sólido para reedificar con el ladrillo de la verdad y el cemento del amor.

Me encontré en ese sitio a otro compañero de drogadicción con una historia similar a la de Steve. Era, en este caso, el hijo del dueño de uno de los más grandes medios de comunicación de su país. Había sido un coquero insigne, era homosexual y, para colmo, tenía SIDA. Pero el centro no lo señaló, no lo acosó, no lo hostigó. Lo aceptó y lo rodeó de calor humano, y X llegó a aceptarse tal y como era en la situación extrema en la que se encontraba. Y cambió. Luego lo encontraría en San Francisco, en un par de ocasiones. Se había ido a vivir allí, ya recuperado. Quizás los avances en la lucha contra el SIDA lleguen a tiempo para que la suya sea una historia con final feliz. De lo contrario, será al menos una buena muerte la que le toque, reconciliado consigo mismo y con el mundo. Y nada de eso hubiese sido posible si es que no llegaba, primero, a aceptarse a sí mismo tal y como era. Si no se da esa reconciliación de la persona con sí misma, entonces la persona escapa de la verdad, y sin verdad no es posible la recuperación.

El porcentaje de recuperación en centros con fines espirituales suele ser mucho mayor que en cualquier otro lugar. La adicción y el alcoholismo son eminentemente espirituales, por paradójico que parezca. Son dolencias del espíritu más que del cuerpo, y sin fortalecer el espíritu abatido es muy difícil lograr una recuperación real.

Y yo... Mi adicción mayor, mi adicción a mí mismo, a mi figura, una adicción común a casi el 100% de los habitantes del planeta, esa adicción sólo la llegué a quebrar en la soledad de mi encuentro conmigo mismo. Entonces encontré la verdad, porque la verdad habita en nosotros. No hay que buscarla afuera. Siempre estuvo esperándonos adentro.

Ahora, mientras tanto, estaba listo a volver al mundo. Era el verano de 1989. En las pantallas de los televisores había visto cómo las tropas chinas habían aplastado la rebelión estudiantil en la plaza de Tienanmen en Beijing. Yo, que solía estar en el foco de los acontecimientos, me moría de envidia al ver a mis compañeros allí.

Mi jefe, el director de noticias, se mostró magnánimo cuando fui dado de alta y me mandó a Moscú a cubrir la caída del comunismo.

5

Llegué a Sheremetievo, el aeropuerto de Moscú, en un amanecer frío en el invierno de las latitudes nórdicas a inicios de 1990. Era la primera vez que iba a la capital de la entonces Unión Soviética. No cesé desde el principio de maravillarme por lo decrépito de casi todo. Los ejemplos estaban a diestra y siniestra. Los urinales en el sector de llegadas internacionales olían a urinales del tercer mundo. Los postes de alumbrado en el camino del aeropuerto se inclinaban como árboles mecidos por el viento o bien para un lado o para el otro. La policía se dedicaba, como cualquier policía tercermundista, a extraer sobornos —"mordidas"— de desafortunados motoristas. El piso en su congreso dentro del Kremlin resultó ser de linóleo descascarado. Las calles congeladas y cubiertas de hielo aguantaban la marcha de filas de mujeres bien arropadas que a paso lento y con barras de hierro rompían el hielo de centímetro a centímetro: ése era su sistema para "deshielar" las veredas.

El sistema se derrumbaba. No era que Gorbachov lo estuviese liquidando como un San Jorge frente al dragón. Era que el sistema se caía por sí solo, y el ruso promedio era consciente de lo que ocurría. Comprar un automóvil significaba pagarlo al contado y colocarse en una lista de espera de nueve años. La posesión de una máquina de escribir sin permiso del Estado estaba prohibida; era considerada instrumento sedicioso potencial por su papel en la diseminación de ideas. El surgimiento de la cultura de las computadoras se hacía así un imposible dentro del sistema soviético.

126

Era un sistema que había cometido suicidio. La Unión Soviética se quedó atrás a la velocidad de la luz. En sus tiendas, mercados y hoteles las sumas se hacían todavía en ábacos con cuentitas de madera ensartadas en alambre torcido. Pero había también una cosa más: entre los intelectuales había una gran honestidad para con la realidad del momento. El ruso promedio sabía que su sistema no daba para más.

El único local de venta de hamburguesas en todo Moscú tenía una cola que daba dos veces la vuelta a la cuadra y a la intemperie de un invierno descomunal... y la gente aguantaba en cola por la novedad de comerse una hamburguesa. La gente en la calle tenía la mirada abierta en busca de los fácilmente identificables extranjeros, los despreciados y a la vez envidiados extranjeros... En eso al menos los soviéticos se parecían mucho a los latinoamericanos. Es que el doblez ante la vida es realmente universal y desprenderse de él requiere una gran honestidad...

Al extranjero le ofrecían cualquier cosa, un pedacito de tela, una estampita pegada sobre una tabla, cualquier cosa por unos dólares. Cayeron en esa ocasión sobre mí recuerdos de la primera vez que pisé Centroamérica camino a Managua... así era el Moscú del fin del comunismo. Mostraba al viajero el lado más surrealista de la vida... Había una carencia de absolutamente todo y, sin embargo, el aparato de represión estaba todavía íntegro.

En Moscú, el gobierno había puesto a nuestra disposición un automóvil y un chofer, no por tratarse de nosotros sino porque así era para cualquier extranjero que necesitara automóvil. Eso sí, tratándose de periodistas ponían a nuestra disposición a personal "especial". Nuestro chofer especial al segundo día de nuestra estadía en Moscú abrió la guantera del automóvil Lada y me mostró un ladrillo de hachís que me ofreció en venta. Lo ignoré en la seguridad de que se trataba de alguna artimaña... pero ganas no me faltaron. Repitió el intento dos veces. El sistema comunista moría, pero su cuerpo de seguridad continuaba en defensa de lo moribundo. Es que la muerte de un sistema es triste y lenta, y porque hace sufrir es también trágica... Lo mismo pasa en el ser humano cuando quiere cambiar de vida. Los cambios dentro de mí fueron también lentos... tristes... también me hicieron sufrir, hasta que abracé el cambio.

En el hotel en que nos alojábamos, los ascensores llevaban huéspedes solamente al piso donde estaban alojados. No era permitido bajarse en ningún otro piso. Una vez en su piso, el huésped tenía que dirigirse derecho a su habitación, bajo la atenta mirada de un supervisor de piso. Me recordó la última vez que estuve en La Habana, alojado en el hotel Habana Libre... Un sistema muy parecido era el que se practicaba allí entre los huéspedes en ese año de celebración del 25 aniversario de la invasión de Bahía de Cochinos.

La Habana ya en ese año era una ciudad fantasmagórica de edificios desteñidos por un cuarto de siglo de sol caribeño y aire salitroso de su bahía. Por allí no había pasado una sola vez la brocha de la pintura. Era una ciudad totalmente desteñida. Parecía ya en ese entonces que hubiese recibido un baño de lejía. Desde la distancia de un bote en la bahía era difícil distinguir un edificio del otro, tan uniforme parecía ser el color de todos ellos.

Fantasmagórico también era su pueblo.

Tratado como rebaño de tercas ovejas, el pobre pueblo habanero daba la impresión de un *kindergarten* regido por el lobo feroz... Ese año se celebraba en Cuba la "victoria" sobre los invasores de Bahía de Cochinos. Yo fui el primer periodista de Univisión en acudir a la isla y una serie de colegas me entregó bultitos y paquetes para llevar a sus seres queridos. Uno de estos compañeros de trabajo, Teresita Rodríguez, presentadora de noticias, había salido de Cuba cuando era una niña tierna y sus familiares jamás la habían vuelto a ver. Aprovechó para darme una cinta de sus presentaciones para que su familia la conozca como adulta. En La Habana busqué la dirección que me dio y me encontré con una imponente aunque despintadísima casa en uno de los antes buenos barrios de la ciudad. Me recordó a la película *Dr. Zhivago* con Omar Shariff.

128

La familia Rodríguez seguía viviendo en la misma casa en la que habitó antes de la revolución, pero se había reducido a ocupar solamente dos de sus habitaciones. El resto de la casona estaba ocupada por otras familias y había en ella un "comité de defensa de la revolución" que todas las noches efectuaba rondas de rato en rato para vigilar que "todo anduviera bien". Cuando llegué a la casa de los Rodríguez me atendieron de mil maneras. Sacaron no sé de dónde lo poquito que tenían para ofrecérmelo e insistieron en que lo aceptara. Los aprietos de la revolución no le habían borrado ni la decencia ni la cortesía a la familia. Hicieron que contase la "historia de Teresita en Estados Unidos" varias veces seguidas, diciendo como niñitos... "cuéntamelo otra vez". Y es que al pueblo de Cuba, tratado como rebaño de ovejas tercas, no le quedaba más que el comportamiento infantil, porque el mundo a su alrededor se había convertido en un cuento, en una realidad separada. El resto del mundo se había convertido en un universo por descubrir... Conté tres veces la "historia de Teresita en Estados Unidos" en parte porque... no había videocasetera para pasar la cinta que les llevé. Así es que opté por invitarlos a mi habitación en el hotel Habana Libre, donde tenía montado mi estudio móvil, a ver la cinta allí. Quedamos en que volvería al día siguiente, almorzaríamos juntos y nos iríamos todos en el auto familiar al hotel a "ver a Teresita".

Al día siguiente, después del almuerzo 11 personas se metieron en una reliquia Ford de los años cincuenta, tan despintado como los edificios de la ciudad, pero funcionando aún por uno de esos milagros del ingenio popular... Llegamos al hotel con el carro tan apretado que codos y cabezas salían por las ventanas. La familia se había puesto sus mejores prendas. Era como si fueran a ver a Teresita en persona y era... conmovedor y encantador a la vez. Ya en el hotel lo conmovedor se separó abruptamente de lo encantador hasta quedar totalmente distanciados. A los Rodríguez no se les permitió la entrada. Era territorio vedado al pueblo, extranjero en su propia tierra. "Sólo para huéspedes" era la explicación. Así es que una vez más me tocó contar la historia de "Teresita en Estados Unidos".

Entrar en acción como superGuillermo y salvar la situación apeló a mi afán protagónico. Llamé a Walfredo Garciga, un funcionario del gobierno cubano que actuaba como anfitrión, guía y custodio de nuestro grupo, y le insinué algo del malestar que la situación estaba dejando en mis reportajes sobre la isla... Al poco rato, Garciga apareció en el hotel. La familia Rodríguez se había quedado frente a la puerta. Garciga, haciendo uso de su autoridad, logró hacernos pasar a todos... "pero derechito a su habitación y de allí de nuevo a la calle", nos dijo. La familia ingresó... como patitos uno detrás del otro, meneando sus colitas, como sin saber si creer o no en la buena suerte que habían tenido. La cinta la pasé varias veces entre oohs y aaahs ...la cinta de Teresita en Estados Unidos.

La familia volvió a su casa conmovida. Yo me fui al bar del hotel a beber el trago del día, un "Cuba libre" sin la capitalista Coca Cola. Allí, en ese bar del hotel al que había tenido que llegar un funcionario de la cancillería para que entraran mis amigos los Rodríguez, me encontré a una mujer local, extremadamente bella, que sin problema alguno se paseaba por allí como por su casa. Le gustaba tener conversaciones inteligentes, me dijo...

Esa misma tarde, ya en mi habitación, golpearon a la puerta y cuando la abrí era ella, la misma mujer... como si fuese la cosa más simple en esa época para una local subir a la habitación de un extranjero en un hotel. Era la versión cubana del ladrillo de hachís en Moscú. Años más tarde, cuando en la capital soviética el chofer del Lada me ofreció el ladrillo, recordé esa vez en La Habana... ¿o sería que padecía delirio?

Al día siguiente de mi llegada a Moscú, Mijail Gorbachov le cortó la cabeza al partido comunista soviético. Decretó que el partido no tendría más la primacía que le garantizaba la ley en la vida política del país. Los dados habían sido echados. El comunismo había caído de su pedestal. No lo mataron ni Reagan ni Bush. Ni siquiera lo mató el mismo Gorbachov. Se mató a sí mismo. Murió de suicidio lento por drogadicción sistémica generalizada, y tras su muerte murió la Unión Soviética. Fue una muerte muy parecida a la del drogadicto. Al terminarse su droga, el comunismo, su cuerpo no pudo resistir más el embate de la realidad. Sí, nuevamente está allí esa figura: si para Marx la religión fue el opio del pueblo, el comunismo resultó ser la droga de la sociedad.

En Moscú, la franqueza con que el ruso promedio hablaba de la situación estaba muy en contraste con la subsistencia del inmenso aparato represivo soviético. Era una combinación que convertía la vida cotidiana a nivel calle en un esfuerzo patético por subsistir. La armazón rígida del sistema se estaba endureciendo aún más por el rigor sistémico de su propia muerte. Es que sólo subsistía la armazón vacía, socavada por la falla sistémica. La aceptación ciudadana de su realidad y la franqueza de esa aceptación fue lo que le permitió al ruso librarse del comunismo y renacer en nación soberana. Y nuevamente está allí el paralelo con la lucha del drogadicto por liberarse de su opresión. Sólo con aceptación, sólo con verdad se puede salir. Para ser exitoso se necesita la verdad franca que lleva a la aceptación propia y ajena.

No hay otra.

De regreso en Washington, un alto funcionario de la cancillería cubana me habló de la "traición" de Gorbachov. "Le sacaremos provecho a Moscú hasta el último momento", me dijo, y posteriormente se resintió conmigo cuando repetí sus palabras por televisión.

La caída de la Unión Soviética fue seguida de un espectáculo sin precedente: los lobos que cayeron a comer los despojos del muerto. Desgraciadamente para Fidel Castro, el comunismo soviético había sido un lobo demasiado flaco y no le dejó mucho para comer.

Paralelamente surgía un nuevo lobo... Saddam Hussein. En el Medio Oriente, allí sí que había despojos y Saddam... él se los quería comer.

¿Cómo y dentro de qué esquema mental pudo Saddam imaginarse que el tecnológicamente primitivo Irak pudiese librar una lucha airosa contra los intereses del mundo industrial? Debe haber creído que la posesión de grandes reservas de petróleo se lo permitiría... Y una vez más, paralelos, paralelos: otro adicto.

Si es que algo hubo que provocó el suicidio del comunismo fue precisamente la fortaleza del mundo industrial. Rodeó al comunismo como círculo de fuego que rodea a un alacrán... y éste acabó suicidándose. No fue la democracia ni fue el capitalismo los que lo destruyeron. Lo que lo llevó al suicidio fue, al fin y al cabo, su propio vacío. Fue otro Sansón que se mató al verse atado por la fuerza filistea. Pues bien, Saddam debió creer que suya era en ese momento la posición correcta para controlar la fuerza de los filisteos. Después de todo, él tenía su cabellera intacta, tenía su energía y su vitalidad: tenía su combustible.

***

La cobertura de la guerra del Golfo fue mi siguiente asignación de envergadura. Pasé casi la totalidad de esa guerra en el Medio Oriente. Estuve primero en Dubai, luego en Egipto, Jordania, Israel, Arabia Saudita, los Emiratos Árabes, Kuwait y, por supuesto, también en Irak.

Fui enviado al Medio Oriente. Al día siguiente de la invasión iraquí a Kuwait, estaba ya en un avión rumbo a Dubai, en los Emiratos Árabes, a cubrir la guerra...

Nunca en mi vida había estado en el Medio Oriente. Volé desde el Kennedy en Nueva York a uno de los aeropuertos de Alemania, el de Francfort, en donde hicimos transbordo a un vuelo de Lufthansa con destino a Riyad. Yo conocía muy bien ese aeropuerto. Había estado repetidas veces en Francfort, pero nunca en una sala de espera con destino al Medio Oriente. Es allí donde tuve mi primer contacto directo con la cultura árabe y quedé anonadado.

Lo primero que llamó mi atención en la sala de espera fueron las mujeres árabes. Esperaban el vuelo con un manto que les cubría la cabeza, con un velo tupido que les cubría el mentón, la boca y los labios, y con algo más que nunca había visto ni oído hablar de ello: un cobertor de nariz hecho de cuero, amarrado a la cabeza por dos tiras también de cuero, como si fueran mulas con anteojeras, sólo que era naricera. La posición de la mujer en esas culturas nunca dejó de fascinarme.

Al inicio de la guerra se estableció un bloqueo comercial a Irak que el reino hashemita de Jordania violó continua e impunemente. Los iraquíes transportaban provisiones militares por el Mar Rojo hasta el puerto de Acqaba, un puerto jordano en la península del Sinaí. Yo estaba en Ammán, la capital de Jordania, cuando me enteré del hecho y me dirigí al "prohibido" puerto de Acqaba para confirmar mi información. Digo "prohibido" puerto porque su acceso a extranjeros estuvo prohibido durante el tiempo de la guerra, especialmente a periodistas occidentales... pero, el mundo árabe, siendo lo que es, llegar allí nos fue relativamente fácil. Tuvimos sólo que alquilar un vehículo y nos fuimos manejando.

Recordé la primera vez que llegué a Managua a bordo de un taxi viejo y desvencijado. En esa ocasión habíamos alquilado otro taxi, pero esta vez un Mercedes amarillo. Manejamos todo el día desde Ammán y llegamos al anochecer. Prudentemente y para no llamar la atención decidimos no buscar hotel, sino más bien dormir en la playa. Despertamos luego del amanecer, ya entrada la mañana, al sonido de unos grititos de mujer. Vi cerca de nosotros en la playa a varios hombres enseñándoles a nadar a unas mujeres... completamente vestidas de pies a cabeza. Estaban con velo, naricera, todo, y las pobres no atinaban a flotar... por eso los grititos. Extraño destino el de la mujer musulmana en esos países.

Unos meses después estuve destacado en la base de la Real Fuerza Aérea Saudita en Taif, cerca de La Meca, en Arabia Saudita. La base estaba llena de estadounidenses y yo era miembro del equipo nacional de corresponsales de Estados Unidos, trabajando para todas las cadenas americanas en "pool", en cadena. Taif es un lugar de recreo de la sociedad saudita, a una elevación un poco por encima del promedio de su desierto. Por eso escapa al agobiante calor del verano y es lugar de recreación.

A Taif va la crema de la sociedad árabe. Allí encontré un sinfín de restricciones que el occidental promedio ni se imagina. Están prohibidas por ejemplo las salas de cine, no sea que se vean destellos de una sociedad sin sus restricciones... Para las mujeres está prohibido manejar vehículo alguno...

En la base aérea de Taif un buen número de quienes manejaban los vehículos militares estadounidenses eran mujeres, y algunas de ellas habían violado el tabú árabe manejando a la ciudad para traer provisiones del mercado. Sucede que esto fue visto por algunas jóvenes de la sociedad saudita, acostumbradas a manejar en viajes a Suiza y otros lugares donde tienen lujosas residencias de recreo. Algunas de ellas pensarían que si las americanas en Taif podían manejar... por qué no ellas, y por lo menos dos salieron un día a manejar...

Causaron tal indignación que sus familias las mataron. El hecho produjo el confinamiento en la base aérea de todos los civiles, especialmente de las mujeres. No podíamos salir. Las americanas, acostumbradas como están a su libertad, pusieron el grito en el cielo diciendo que querían ir al "souk", al mercado árabe, a hacer sus compras. Por fin, tras negociaciones entre oficiales árabes y estadounidenses, se decidió permitir una salida al souk bajo escolta militar. Se organizó como quien realiza una expedición al frente y finalmente partimos unos cuantos reporteros y reporteras al souk en convoy militar, precedidos y seguidos de vehículos armados. Una vez allí procedimos a ir de sitio en sitio con escoltas a pie y con fusiles ametralladora... ¡vaya manera de comprar barato!

El caso ilustra algo no sólo de la posición de la mujer en el mundo árabe, sino de su cultura en general: no saben cómo proceder en su apertura al occidente y eso causa su propia versión de esquizofrenia sociocultural. Salen al occidente y se vuelcan con brazos abiertos a gozar de sus libertades, pero tan pronto llegan a la sala de espera para ese vuelo que los llevara de regreso a su país, revierten súbitamente sus roles tradicionales, con naricera y todo.

En la América Latina lo que se tiene es una variante de ese virus de duplicidad sociocultural. Después de todo, la cultura hispana es mitad de origen romano y mitad de origen moro, árabe, con algunas sales y aromas de otros lugares mediterráneos también.

Las mujeres árabes en la sala de espera de Francfort fueron mi introducción a ese mundo. Lo que resultó más extraño para mí es que a lo largo de mi estadía en el Medio Oriente vi cómo la mujer árabe defiende su situación subyugada. Luego me daría cuenta de que todos hacemos lo mismo. Todos, casi sin excepción, justificamos y defendemos nuestra situación en la vida. Sin cuestionamientos y sin importar cuán difícil sea nuestra situación. Lo contrario, cuestionar nuestra situación y más aún, rechazarla, es como un autorrechazo, como un rechazo a nosotros mismos... y nuestra inseguridad suele ser tan grande que no nos atrevemos a cambiar.

¿Qué extraño, no? Aceptamos lo inaceptable, pero lo que debemos aceptar, nuestro verdadero ser, aceptarnos a nosotros mismos... eso no. Somos casi universalmente culpables de incurrir en ese error.

Es un error que me mantuvo en la duplicidad de mi vida durante largo tiempo, y cuando finalmente opté por salir de esa duplicidad y me acepté... todavía me mantuve en el error de confundir mi ser con mi situación... y defendí y justifiqué mi drogadicción con fuerza y maña durante un tiempo más...

***

La primera parada en mi vuelo a Dubai fue Riyad. Junto a los anuncios de rutina en preparación al aterrizaje, la tripulación de Lufthansa tenía uno más: avisaron que cualquier pasajero que trajese revistas con imágenes de sexo... con senos desnudos o cosas por el estilo, tendría ahora la oportunidad de deshacerse de ellas. Las azafatas pasarían por la cabina con bolsas plásticas para que los pasajeros las botaran. De encontrarse con una en el aeropuerto sufrirían... ¡no sé qué número de latigazos!

135

Algunos años atrás había ido a Ginebra con Ronald Reagan, en su primera entrevista con Gorbachov. En el hotel en que me alojé había toda una sala llena de videos pornográficos en idioma árabe para alquilárselos a los sauditas que llegaran de vacaciones. Les encantaba verlos, pero... ¿llevarlos de regreso a Arabia Saudita? No... eso no.

Llegamos a Dubai. La temperatura era agobiante. ¡Casi 120 °F (49 °C)... a la sombra! Era una garantía de que la guerra no empezaría en el verano. Habría que esperar al invierno. Era una demostración más de la corrección del gran historiador británico, Arnold Toynbee. Dice que las culturas se moldean en respuesta a desafíos de su medio ambiente. Pues el medio ambiente árabe es más que letárgico en el verano... es... imposible. ¡Quién iba en su sano juicio a pensar en guerra durante el verano! Era tiempo de preparativos.

Estados Unidos había despachado al portaaviones *Independence* a toda máquina al Golfo Pérsico. Varios convoyes de buques de carga enfilaban hacia el estrecho de Hormuz, en la entrada al Golfo. Mi hijo Javier, en la Marina de Estados Unidos, iba a bordo del *Independence*. Sucedió así que hubo dos Descalzi en la operación "Escudo del Desierto", uno como reportero, otro como miembro de las fuerzas armadas. Era la operación inicial de la guerra, la de preparativo a "Tormenta del Desierto". Yo quise ir a ver a mi hijo en su portaaviones, pero me perdí de ir en el vuelo de prensa que salió de Dubai a visitarlo, porque la compañía me mandó el día anterior a El Cairo a cubrir una conferencia de emergencia de jefes de Estado de países árabes.

A mi retorno a Dubai me encontré con que el vuelo de prensa al *Independence* ya había ocurrido. Me contenté con alquilar un avión para buscarlo y grabarlo desde el aire. Había un problema: no tenía el dinero para hacerlo. Además, el único avión disponible en el área estaba en el emirato de Sarjia, en un aeropuerto civil ubicado a un costado de Yemen del Sur. Era un bimotor que se alquilaba a tres mil dólares la hora. El piloto, un inglés, me explicó que el precio se debía a "los peligros de la guerra". El precio era excesivo, sobre todo porque se trataba de una búsqueda que po-dría durar horas... pero fui afortunado. Ese día me encontré en el mismo hotel en que estaba alojado a un corresponsal de Televisa, Fernando Alcalá, amigo de antaño. Televisa lo había enviado a cubrir la guerra típicamente sin nada. El pobre Fernando no tenía camarógrafo, no tenía cámara, no tenía equipo de edición... pero tenía ¡tarjeta de crédito de Televisa!

Lo habían mandado en típico estilo, guapo pero sin nada, como si su presencia y ser guapo fuesen a salvar la situación... Qué guapeza... ¡qué hidalguía!

Lo estimo a Fernando, siempre fue un caballero. Hicimos un trato: le cederíamos parte de nuestro video y mi camarógrafo gra-baría sus presentaciones y editaría sus piezas... y él pagaría el avión. Pagó como nueve mil dólares al final. Así cubrimos la guerra, con una mano adelante y otra atrás, en una camaradería de viejos periodistas, haciendo de tripas corazón.

Cuando mi camarógrafo y yo fuimos los primeros reporteros en llegar a la ciudad de Kuwait, cosa que hicimos antes que las tropas de la coalición, cruzando el frente de guerra, busqué en esa tie-rra de desolación la manera de hacer un reporte a la cadena. Tuve la suerte de encontrar a un ingeniero de la BBC inglesa, otro aven-turero que como nosotros había llegado también en posición adelantada para instalar en la playa, al sur de la ciudad, un plato de satélite para un teléfono volante. Le pedí el plato para una llamada a Miami y me lo prestó... "Pero una llamada, nada más que una", me dijo. Así es que pensé mucho a quién llamar. Era algo así como las dos de la mañana en Miami, y nadie iba a contestar en el centro de transmisiones... Decidí pues llamar a nuestro director de noticias para así dar la primicia de la inminente liberación de Kuwait, para contarle de la negrura de ese mediodía envuelto en humo y de los mil y uno incendios petroleros que se veían... Sonó el teléfono en casa del jefe en Miami... y contestó diciendo: "Son of a bitch" —¿sabes qué hora es?—, ¡y me colgó! Me perdí la oportunidad de dar la primicia de lo que estaba ocurriendo. Nunca le conté al jefe lo que había hecho, no se había dado cuenta. No me lo hubiese creído.

El Medio Oriente tiene otro parecido con la América Latina: el desprecio por la mano de obra. Dubai, los Emiratos, Kuwait y la misma Arabia Saudita están llenos de obreros "temporales", millones y millones de hombres y mujeres que llegan de la India, de Pakistán, de la antigua Palestina (Filistina), de Egipto y las Filipinas.

La península arábiga, pobre y despoblada al empezar el siglo, es un lugar donde se empozó la cultura como espuma vieja y amarillenta en la resaca del mar occidental. De pronto, de la noche a la mañana, el lugar se convirtió en emporio de millonarios con el descubrimiento del petróleo. Los ciudadanos —y para ser ciudadano tiene uno que pertenecer a la tercera generación nacida allí— tienen la vida asegurada. Miles de dólares se les distribuye al nacer y al pasar por ciertos hitos de la vida como la mayoría de edad, casarse, etc. Si es que se es ciudadano.

Es el dinero del petróleo... son los hijos-de-algo de la península arábiga, son los guapos locales y su indiada despreciada y despreciable son los "trabajadores temporales" que hacen de todo y que no tienen derecho a permanecer allí más de tres años. Tampoco tienen derecho —los trabajadores— a llevar a sus familias, a casarse, a establecerse en el lugar. Tres años y... *out*.

Como en la América Latina: víctimas los dos, el de arriba y el de abajo. Como en la América Latina, siguen todavía viviendo en la resaca de su propia cultura, alejados de la vitalidad que alguna vez le dio vida...

Para aplicar todo esto está la rígida ley islámica que emana directamente de cuando las cosas se inscribían en piedra.

El desprecio a la mano de obra produce allí una situación similar a la de Latinoamérica, con el encumbramiento de un grupo que es víctima del mismo doble complejo de superioridad e inferioridad. La situación se complica en el Medio Oriente con la presencia de la gran riqueza petrolera y con la hegemonía de un sistema religioso que hace prácticamente imposible su integración social y cultural, sin que haya aún más tragedia humana. Una vez más: la agonía social es larga, lenta y trágica.

El primer mes de preparativos en la operación "Escudo del Desierto" transcurrió lentamente en Dubai. La gerencia decidió entonces enviarme a Jordania, donde estaba pasando algo.

A través de Jordania se estaba produciendo la migración masiva, a pie, de los millones de trabajadores temporales que escapaban de la guerra en Kuwait y en Irak. Salieron a pie cruzando un inmenso y desolado desierto desde las orillas del Golfo Pérsico hasta arribar a Jordania, donde abordaban todo tipo de vehículos para llegar hasta Ammán. Allí, unos tomaban vuelos repletos de refugiados para llegar a sus hogares. Otros seguían viaje hasta Acqaba para embarcarse y cruzar el Mar Rojo hacia Egipto, Sudán, los Yemenes y Etiopía.

Más de 100 mil personas pasaron diariamente durante más de un mes por Rueshid, un punto desolado, infestado de alacranes en una llanura pedregosa y reseca en medio de la frontera entre Siria, Irak y Jordania. Salí de Ammán rumbo a Rueshid en un taxi Mercedes Benz amarillo, de los que abundan en Jordania... ¿para algo es el dinero, no? Viajamos todo el día hacia ese sitio de frontera entre Siria, Irak y Jordania. Llegamos al puesto fronterizo ya pasada la noche y nos encontramos de pronto con la caravana humana tendida en el desierto, durmiendo. Qué espectáculo. Más de 100 mil personas, después de semanas de caminar por el desierto, hambrientas, cargando sobre sus hombros todas las posesiones que les quedaban, todas ellas acurrucadas lo más juntas posible en un lugarcito en el inmenso pedregal, buscando seguridad en la compañía mutua. Era la desolación humana superpuesta a la desolación física del lugar... seres humanos desolados que no se atrevían a separarse ni un poquito ni por un instante del resto de la multitud, a no ser que su desolación se volviese aún mayor. Guillermo Torres —mi camarógrafo salvadoreño— y yo buscamos un lugarcito libre de gente en medio de esa isla humana en el mar del desierto para allí echarnos a dormir. Por milagroso que pareciera encontramos, en medio de la humanidad hedionda, un espacio rectangular de unos metros cuadrados vacíos de gente, y allí nos acostamos.

No hay nada nuevo bajo el sol... palabras de Salomón, Eclesiastés 1:1. Este espectáculo no era nada nuevo. Estuve seguro en ese instante que el cruce de esos millones a través de la península arábiga, desde el Golfo Pérsico hasta el Mar Rojo, tiene que haber sido fundamentalmente igual al cruce que cerca de cuatro mil años atrás hiciera el pueblo de Israel a través del Sinaí... seguimos siendo los mismos después de todo, los mismos a pesar de los atavíos de modernidad que nos rodean, a pesar de las distancias en el tiempo y en el espacio. Pero... hasta allí, no más.

Admiramos a los unos como patriarcas de nuestra religión, rechazamos a los otros como deshecho humano. No somos capaces de ver lo que tenemos en común con los despojos de la humanidad como los que ese día atravesaban el desierto. No somos capaces de ver nuestra común humanidad... nuestra comunidad con ellos, porque no los aceptamos.

Y en esa falta de reconocimiento de nuestra humanidad compartida perdemos nuestro vínculo con todo lo humano. No podemos rechazar una parte sin rechazar el todo. La muerte de una parte del cuerpo mata al resto —por gangrena.

Mi búsqueda en las calles de Washington me llevó a encontrar mi mínimo común denominador como ser humano. Es entonces que encontré mi propia humanidad.

Esta nueva caravana de gente que vagaba por el desierto era, al igual que los esclavos israelitas lo fueron en su tiempo, un producto de la deshumanización de sus personas en el país del que huyeron: el trabajador como instrumento utilizable, descartable, menospreciable... Huían de un trato y de una actitud hacia ellos. Unos pasaron por Sodoma, los otros... por la tierra de Saddam... Saddoma.

Los pobres que no lograron efectuar el cruce de la península arábiga serían luego perseguidos por calles y azoteas, por zanjas y zaguanes en el lugar en que se quedaron. No habían querido perder sus posesiones, misérrimas, y perdieron en cambio sus vidas. Fue un ejemplo patético, como si hubiese necesitado uno más de la idolatría con que tratamos al cúmulo de nuestras posesiones. Incluso los que huían a pie lo hacían como bestias de carga, llevando a cuestas más de lo que podían.

Seis meses después, cuando llegué a la ciudad de Kuwait, me encontré con un espectáculo estremecedor. Había entrado a la ciudad adelante de las tropas, cruzando a través del frente de guerra entre la coalición y los iraquíes. Llegué a la capital kuwaití cuando ésta se había convertido en tierra de nadie. Los iraquíes se acababan de retirar de ella y las tropas de la coalición aún no habían hecho su entrada. Los kuwaitíes, en esa tierra de nadie que por unos días fue su ciudad, descargaron su ira matando a tiros o por cualquier medio a cualquier trabajador temporal que encontraban en su ciudad. Se había iniciado una cacería humana de los aún más miserables que ellos. Había cuerpos regados de trecho en trecho. Mi camarógrafo allí, un peruano, Gilberto Hume y yo "adoptamos" a un pobre palestino que nos sirvió de guía en la ciudad y le salvamos así literalmente la vida pasándolo a través de innumerables barreras de iracundos ciudadanos kuwaitíes...

La actitud deshumanizante es un cuchillo de doble filo. Corta al que lo esgrime tanto como al que lo recibe. El problema árabe es similar al de Latinoamérica. Ambos pueblos son deshumanizados por su propio desprecio hacia el que está abajo. Y no lograrán recobrar la virtud de su humanidad hasta que hayan encontrado su mínimo común denominador como seres humanos.

Sólo en la común unión con toda la humanidad, la de arriba y la de abajo, es posible recuperar nuestra dignidad como miembros de la especie.

En Estados Unidos también hay lugares donde ocurre lo mismo. Cuando se habla de los "ilegales" y se les empieza a tratar como si en realidad pudiese existir una condición ilegal en lo humano, cuando el patriotismo la agarra contra un segmento que subsiste sin amparo, cuando se empieza a rechazar al que limpia los baños y excusados, pero no se puede vivir sin el fruto de su trabajo, entonces en Estados Unidos pierde humanidad tanto el ilegal como el que busca "suprimirlo".

El río humano era transportado desde Rueshid hasta el puerto de Acqaba en el Mar Rojo en buses, camiones y automóviles de todo tipo. Pululando alrededor de estos miserables había un ejército de aves de rapiña despojándolos de sus pertenencias. En Ammán y en Acqaba, gigantescos aviones Antonov de la todavía entonces Unión Soviética transportaban a algunos hasta los lugares más distantes de su procedencia... Otros se embarcaban en oxidadas embarcaciones egipcias para cruzar el Mar Rojo.

Abundaban las picaduras de alacrán. La temperatura era apabullante. Esos pobres respiraban bocanadas de aire caldeado para efectuar su retirada.

En esas condiciones, mientras no llegase el alivio del invierno, sólo podía haber guerra en el aire... y una paz dudosa para el hombre sobre la tierra. La huida era posible mientras no llegase el invierno al desierto. Era, mientras tanto, tiempo de negociaciones.

Recuerdo con orgullo el día en que vi llegar a Ammán al secretario general de las Naciones Unidas, Javier Pérez de Cuéllar, peruano como yo. Era el "último" intento de persuadir a Irak para que se retirara de Kuwait y lograr así una solución pacífica al conflicto. Se iban a reunir allí Pérez de Cuéllar, el secretario general, y Tarik Assiz, el ministro de relaciones exteriores de Saddam Hussein. Se esperaba la llegada de ambos en el aeropuerto militar, en el centro de la ciudad. Sólo un puñado de periodistas fue admitido para cubrir el arribo, entre ellos mi camarógrafo, Guillermo Torres, y yo. Primero llegó Assiz en un jet Lear privado. Luego arribó Pérez de Cuéllar en su propio avión con el escudo de las Naciones Unidas, otro Lear. Recuerdo el orgullo que sentí al ver a otro peruano como yo descendiendo de su propio avión... y más fue mi orgullo cuando al abrirse la puerta de su jet, Pérez de Cuéllar sale, se detiene un momento, olfatea el ambiente y me ve... y dice, mano en alto, dirigiéndose a mí: "¡Hola, compatriota!" ¡Me había reconocido! Esa noche en el palacio del rey me sentí más orgulloso aún al ver a ese digno hombre dialogar como igual, sin complejos ni altanerías.

El intento de reconciliación fue infructuoso. A los pocos días, la cadena decidió mandarme a Israel a cubrir allí los efectos del conflicto que inevitablemente se iba a cernir sobre el estado judío. No se podía viajar directamente de Ammán a Jerusalén, a pesar de que esas dos ciudades están a pocos kilómetros de distancia. Tuve que ir primero a Roma.

Cuando llegué a Jerusalén la población se preparaba a enfrentarse a un ataque de gas. El israelita vivía obsesionado y angustiado por la idea de que después de haberse librado de la suerte de millones de otros judíos, víctimas de las cámaras de gas durante la Segunda Guerra Mundial, fuesen después de todo a ser gaseados por Saddam.

El gobierno había repartido máscaras de gas a todos sus ciudadanos. Había sólo un problema: el calor era tan agobiante que la gente caía como moscas cuando se ponían las máscaras, pero en fin, preferible desmayado que muerto. A lo que se temía era a un ataque iraquí con proyectiles Scud, proyectiles balísticos que podían estar armados con cabezas químicas.

Cuando cayó el primer Scud en Tel Aviv yo estaba en Jerusalén. Salté a mi camioneta e inmediatamente nos fuimos mi camarógrafo, Simón Ehrlich, y yo a esa ciudad donde permanecimos durante el tiempo que duró el bombardeo. Nos alojamos en un hotel en la playa desde donde tuvimos visión panorámica de las andanadas que noche a noche caían delante nuestro. En nuestra primera noche en Tel Aviv cayó una andanada a pocos centenares de metros de nosotros. Primero venían las sirenas de alerta a la población y todo el mundo corría a ponerse sus máscaras. Simón y yo no nos las poníamos... las llevábamos colgadas. Hubiesen impedido nuestro trabajo. Después de todo, ¡yo tenía que reportar y él filmar! Además, pronto recibí reportes de que los proyectiles estaban armados con cabezas explosivas y no químicas.

Al aproximarse los Scuds se alzaba de tierra otra andanada de proyectiles, los Patriotas, para interceptarlos antes de que cayesen. La intercepción se producía a escasos 100 o 200 metros de tierra y las explosiones eran espectaculares. Los estragos producidos en los barrios de la ciudad fueron impresionantes. La mayoría de los Scuds cayó sobre un barrio llamado Ramatt Gan, un barrio de judíos sefarditas que hablaban un español antiguo, de la época en que el rey Carlos V los expulsó de los territorios de España. Hablar y entrevistar a las víctimas me resultó fácil. Varias veces llegamos mi camarógrafo y yo hasta el lugar del impacto antes de que lo hiciesen el ejército y los cuerpos de defensa y auxilio de Israel. Era la ventaja de andar sin máscaras. Israel, estoy seguro, minimizó el número de víctimas no sólo para no alarmar a la población, sino también por una razón estratégica.

La guerra del Golfo puso a prueba la relación de Estados Unidos con sus amigos en el mundo árabe. Para lograr sus objetivos tuvo que asegurarse de la no intervención de Israel en el conflicto. Cualquier respuesta armada de Israel a Saddam Hussein por el bombardeo de Tel Aviv hubiese sido fatal a los esfuerzos de la coalición. Hubiese podido tener el efecto de cortar el apoyo árabe a la coalición. Israel pues... detuvo su mano. Pero es un país joven con memoria larga y dotado de una gran paciencia. Un día, después de una de las reuniones de prensa con el primer ministro de Israel, le pregunté a uno de sus asesores, el entonces ministro de salud Ehud Olmer, "¿qué harán con Saddam?" "We will kill him", me respondió. "Lo mataremos." Así, a secas, eso es lo que me contestó.

No me cabe duda de que lo harán o tratarán de hacerlo si es que no muere antes. Suya después de todo es la ley de ojo por ojo y diente por diente.

Luego me trasladé —vía Estados Unidos— a Arabia Saudita.

Volé a Riyad y de allí a Dahran, en el Golfo, donde estaba centrado el esfuerzo bélico de la coalición. Me alojé en el hotel contiguo al aeropuerto donde estaba todo el grupo de prensa de las grandes cadenas estadounidenses. Recordé a San Pablo que reclamó sus derechos como ciudadano romano. Univisión también era una cadena estadounidense —por más que fuese en idioma español—

y yo también soy ciudadano estadounidense. El hotel estaba en el centro de la principal base aérea de la coalición, rodeado de tres anillos de seguridad. Para ingresar había que pasar primero por el anillo de seguridad de los sauditas. Luego pasábamos por el perímetro de seguridad de la coalición, con estadounidenses en los puestos de control. Y después, ya cerca del edificio del hotel, estaban los "mutawas", la policía religiosa musulmana encargada de velar porque nosotros los extranjeros cumpliésemos con su estricto código religioso: las mujeres sin escote, con brazos debidamente cubiertos, sin enseñar mucha pierna, etc. Y por supuesto, que no se bebiese licor, ofensa castigable a latigazos y con la expulsión del país. La prohibición del licor, sin embargo, era burlada casi abiertamente. Muchos extranjeros en posiciones gerenciales y técnicas tenían alambiques en sus casas y allí destilaban su propio licor para su consumo. Uno de ellos era un tal Morote, un peruano que vivía en un lugar llamado Ras-Tanura, al norte de Dahran.

Un día, mis compañeros fueron a Ras-Tanura y en casa de Morote bebieron todo el licor que quisieron. Francisco Ginesta, un chileno que trabajaba como productor, decidió llevarse una de las botellas al hotel. El problema era, por supuesto, que tenía que pasarla por el cerco de mutawas que rodeaba al hotel. Francisco envolvió la botella en una toalla, se bajó del vehículo y se aproximaba ya a la puerta donde estaban los mutawas cuando la botella se le deslizó por entre los pliegues de la toalla y cayó al suelo haciendo un... ¡plooff! Francisco y los demás siguieron caminando hacia adentro como si nada hubiera pasado, mientras que las ropas de los mutawas empezaban a flotar en vapores de alcohol. La escena se transformó en un hormiguero, con los mutawas dando rápidas vueltecitas sin dirección en busca del culpable. Nunca lo encontraron y nunca más tratamos de llevar alcohol allí. Fue una de las pocas escenas cómicas que me tocó ver en esa guerra.

En Dahran fui destacado a la fuerza aérea como uno de los reporteros del grupo de cadenas estadounidenses. Se me asignó la cobertura de dos bases, la de Taif y otra, una base "secreta" en

Al Kargh. Era una asignación ideal porque estábamos en el periodo más crítico de la guerra aérea. Antes, sin embargo, se produjo la batalla de Kafji, un poco al sur de la línea fronteriza entre Kuwait y Arabia Saudita, una batalla que bien pudo haber sido el último enfrentamiento de tanques en formación, ahora que éstos también se están convirtiendo en obsoletos, blancos fáciles de las bombas "inteligentes".

Con la precisión de la guerra moderna, los tanques se han vuelto como patos en la laguna, blanco certero de quien los tiene en la mira. Quizás la batalla de Kafji haya sido el equivalente moderno a la carga de la caballería ligera en la batalla en Balaklava en la península de Crimea, la última carga de caballería en la historia del mundo. Nunca más hubo otra.

Una columna de tanques iraquíes había avanzado sobre Kafji y fue totalmente destrozada. Yo llegué allí a bordo de un avión de la fuerza aérea saudita. Recuerdo algo que me impresionó sobremanera. Había un tanque iraquí que parecía intacto y entré a él por la torrecilla. Sentado en su asiento estaba todavía el cuerpo del artillero, íntegro pero reducido al tamaño de un muñeco. Todos sus detalles físicos estaban presentes: ¡orejas, párpados, dedos!, pero no medía más que unos 30 centímetros como máximo. Se había reducido completamente, calcinado por el calor de alguna bomba que había pegado muy cerca de allí. Me pareció que si le soplaba se derrumbaría, pero no, tenía solidez.

Al Kargh era durante la guerra una base secreta en medio de la península arábiga, al sur de Riyad. Allí había de todo para la guerra moderna... y es muy, muy diferente.

Las carpas que alojaban al personal estaban, para empezar, equipadas con aire acondicionado. Pequeñas unidades portátiles refrigeraban todas y cada una de las carpas en la inmensa base. Y luego estaban los teléfonos... Ya nunca más se volverán a ver las escenas de soldados metidos dentro de trincheras llenas de barro leyendo cartas bajo la mortecina luz de un farol... al menos no en el ejército de Estados Unidos.

La base contaba con teléfonos públicos gratuitos, enlazados directamente vía satélite con Estados Unidos. El soldado no tenía más que levantar el teléfono para hablar con su novia, su madre o quien fuera.

Al Kargh albergaba básicamente dos tipos de avión: el F 14 y el F 14-E. El F 14 es el bombardero de hoy. Equipado con bombas "inteligentes", el avión prácticamente no cuenta con equipos de defensa. Para eso está el F 14-E. La "E" simboliza "electrónico". Cada agrupación de F 14's que despegaba era acompañada por un F 14-E, cuya misión es contrarrestar los radares enemigos por medio de una fuerte irradiación de microondas. Cada vez que iba a partir un F 14-E, sonaba una alarma y el avión "irradiaba" para probar sus equipos. La alarma advertía a todos de la inminencia de la irradiación, para que se pudiesen "esconder" de la irradiación, una irradiación que esteriliza tanto a hombres como a mujeres... de modo que cuando sonaba la alarma, y esto era muy a menudo, había gran ajetreo en la base.

Después de terminada la misión y ya de vuelta en la base, los pilotos se reunían en la sede del comando para revisar los videos de la acción. Los periodistas éramos invitados de cuando en cuando... y era verdaderamente impresionante lo que se veía. Eran bomba tras bomba tras bomba que daban todas en el blanco... Sí, había un índice de bombas que fallaban, pero comparados estos bombardeos a los de guerras pasadas, la situación era muy diferente. Las escenas que todavía hoy se repiten por televisión de la guerra de Vietnam muestran misión tras misión en las que los bombarderos sueltan racimos de innumerables bombas sobre sus objetivos para que estadísticamente una o dos de ellas den en el blanco. Ya no más. Ahora bomba que se suelta, bomba que pega.

En los hangares de la base varios grupos de técnicos se dedicaban al ensamblaje de las bombas inteligentes, guiadas a su objetivo por medio de un rayo láser. La bomba puede hacer piruetas en el aire para llegar al sitio preciso donde el bombardero ha puesto su mira. Recuerdo una vez que entró una bomba por la ventana de aire acondicionado de un edificio fortificado, ¡la única abertura que ese edificio había tenido!

La guerra aérea fue totalmente dispareja. Los iraquíes eran ablandados incesantemente por andanada tras andanada de F 14's. Los tanques, bases e instalaciones de Irak eran como patos de tiro al blanco. Los pobres soldados iraquíes del frente sur eran víctimas de una psicosis provocada por los bombardeos. Estar en uno de sus tanques y sentir pasar por encima el ruido de las turbinas de un avión debe haber sido más que aterrador, verdaderamente enloquecedor. Algunas semanas después me encontraría en Irak con un grupo de esos soldados y quisieron vengar su furia en mí.

El tiempo pasaba así de manera rutinaria en la base de Al Kargh hasta que llegó un día en que el ritmo de la acción se incrementó de manera desproporcionada. Era obvio que algo nuevo estaba por pasar y yo me convencí de que ese "algo" era el inicio de la guerra terrestre. Mis contactos con los pilotos confirmaron el hecho y decidí abandonar la base... El inicio de la guerra terrestre no me iba a encontrar a mí —Descalzi— (¡qué ego!) metido en la relativa tranquilidad de una base aérea en medio del desierto. Salí así de Al Kargh de regreso a Dahran, rumiando en mi interior la manera de llegar al frente en el momento en que se iniciara el avance.

Al llegar a Dahran me di cuenta que el primer obstáculo para llegar allí era no el ejército enemigo, ni siquiera el ejército amigo, sino los mismos colegas, los demás periodistas. Éramos como tiburones en frenesí... Todos querían ser "el primero". Para ir al frente elegí como acompañante a Gilberto Hume, excepcional camarógrafo y periodista peruano. Sabíamos que nos metíamos a tierra destrozada, así es que llenamos de gasolina el vehículo, uno japonés con tracción en las cuatro ruedas.

Acondicionamos el vehículo. Una instalación especial jalaba corriente del motor al interior de la cabina para recargar las baterías de nuestro equipo de video. Y llevábamos también agua y comida. Teníamos el vehículo lleno hasta el techo y manejábamos con las ventanas abiertas para no ahogarnos con los vapores de la gasolina que teníamos en la cabina. Llegamos así hasta el puesto de control donde habían parado a todos los periodistas que nos precedieron... y a nosotros también nos pararon. Tuve entonces la misma reacción que había tenido en incontables ocasiones anteriores: esto no le puede pasar a Descalzi. Mi personalidad no aceptaba ni los desafíos ni los imposibles, y eso que me había pasado casi ocho meses sin beber una gota de alcohol... Mi reacción fue, sin embargo, la típica reacción alcohólica de no aceptar que le dijesen que no a uno. Así es que me puse a pensar.

La hora del avance aliado había llegado. Detrás del frente había columnas de tanques y vehículos militares de todo tipo en formación de batalla, esperando la orden de partida. Era obvio que ésta se iba a dar al amanecer. El tiempo se me agotaba para colocarme en posición. Gilberto y yo nos vestimos entonces con uniforme militar, usando ropa de segunda que habíamos conseguido y tomé "prestados" dos cascos que algunos soldados habían dejado en una puerta. Luego ocultamos el Landcruiser detrás de una duna y nos pusimos a camuflar el vehículo para que se pareciera a uno militar. Con cinta adhesiva de color rojo (no recuerdo de dónde la sacamos) le colocamos las "V" invertidas con que marcaban a los autos de la coalición, de tal manera que el nuestro llegó a parecer que pertenecía al lugar. Luego esperamos a que llegara la alborada del alba, esa hora mágica en que menos alerta parece estar el ser humano en su ciclo de 24 horas. Es justo antes del amanecer, y a esa hora subimos al vehículo y nos dirigimos a toda marcha al frente. Llegamos a la garita y no había nadie en pie cerca de ella, así que la cruzamos. Luego, por el espejo vi gente que corría detrás de nosotros, pero fue demasiado tarde.

Empezamos a zigzaguear entre columnas de tanques y los soldados, pensando que éramos oficiales o algo —quién más iba a ir a toda marcha entre vehículos de guerra—, nos saludaban al pasar. Nuestra "huida" al frente continuó así hasta que de pronto el frente entero se puso en marcha, a paso no de tortuga sino de oruga... lenta, lentamente. Nosotros íbamos más rápido que el viento y la tropa seguía saludándonos como si fuésemos el "coronel"

Hume y el "general" Descalzi, como bromeábamos entre nosotros. Todo a nuestro alrededor era una nube de polvo y arena levantada por el frente en movimiento, hasta que de pronto, súbitamente, salimos de la nube... y no quedaba nada, absolutamente nada delante nuestro, sólo la arena del desierto iluminada por los primeros rayos del amanecer. Habíamos cruzado el frente de la coalición y estábamos en la zona de nadie entre los dos frentes, el de la coalición y el de los iraquíes.

¡Qué hacer! ¿Avanzar y llegar al frente iraquí? ¿Quedarse y ser arrollados por el frente de la coalición? ¿Dar marcha atrás y ser detenidos por los aliados, o peor, ser arrollados por ellos? Decidimos avanzar. Nos pareció lo más prudente y lo hicimos a toda marcha. Afortunadamente, sin saberlo nosotros, los iraquíes habían emprendido una retirada sin mirar atrás, también a toda marcha, así es que avanzamos sin oposición alguna.

Había muchas cosas raras. Para empezar, el día no terminó nunca de amanecer... Habían pasado ya tres horas desde el amanecer y nos aproximábamos a la ciudad de Kuwait, pero seguía habiendo tan poca luz que parecía de noche. Es que los iraquíes habían prendido fuego al gigantesco complejo petrolero de Kuwait, y aunque no veíamos todavía los incendios, sufríamos sus efectos. Uno de ellos era que el cielo estaba totalmente cubierto por una espesa capa de humo negrísimo y amargo...

Avanzamos sobre la arena porque la vía fue destrozada o bien por bombas aliadas o por la tracción de tanques de guerra... o a propósito, por los iraquíes, para evitar el avance. Y a medida que nos acercábamos a la capital kuwaití empezamos a ver sobre la arena munición de gran calibre, explosivos y bombas dejados atrás por el ejército en retirada. El avance se había vuelto extremadamente peligroso y tuvimos que ejecutarlo con gran cuidado. Es así que de pronto, hacia el mediodía del primer día de la guerra terrestre, Gilberto Hume y yo nos convertimos en los primeros periodistas occidentales en llegar a la capital kuwaití, y lo hicimos antes de que llegaran las tropas de la coalición. Solamente un equipo de tropas especiales de la marina, los Navy Seals, llegó

150

adelante de nosotros a tomar posesión de lo que fuera la embajada de Estados Unidos.

Cuando llegamos a Kuwait nos encontramos con una ciudad que parecía totalmente desierta. Los habitantes se habían encerrado en sus casas por temor a la retirada iraquí, la que se había producido llevándose de la ciudad a un gran número de rehenes. Los kuwaitíes se habían encerrado por temor. Antes de retirarse, la tropa invasora se había dedicado a un saqueo desenfrenado. Tras varias vueltas por la ciudad sentimos aproximarse el ruido de las columnas de tanques de la coalición. Fuimos hasta una gran explanada frente a la playa en el centro de Kuwait. Allí, cámara al hombro y micrófono en mano registramos la llegada de los primeros tanques, una columna árabe con personal egipcio y saudita. Cuando terminamos nos dimos cuenta que la población de Kuwait había empezado a volcarse sobre el lugar. Más aún, parecía que se venía una avalancha sobre Gilberto y yo. Los dos estábamos vestidos con el uniforme de la coalición. Éramos los únicos "militares" que veían a pie y vinieron hasta nosotros a darnos abrazos efusivos y fuertes y a decirnos no sé qué en el idioma árabe. De pronto, como de la nada apareció por allí una botella de Chivas Regal que alguien había guardado como regalo a los "libertadores"... y yo como buen alcohólico la destapé y le di un buen jalón. Fue el fin de ocho meses de abstinencia.

Fue un día que nunca amaneció.

Al caer la tarde, la oscuridad seguía siendo la misma como en los primeros instantes del alba. La tropa continuó llenando la ciudad durante toda esa tarde hasta acabar siendo nuevamente una ciudad ocupada, esta vez por la coalición.

Esa noche, Gilberto y yo dormimos en el departamento de unos kuwaitíes a los que conocimos durante el episodio de la botella de Chivas. Es más, fueron ellos los que nos la dieron y a pesar de ser musulmanes, esa noche bebieron también con nosotros.

151

6

Kuwait a nuestra llegada era un campamento armado y abandonado. Por donde uno fuera encontraba armamento, tanques abandonados y uno que otro cadáver "viejo"...

A todo lo largo de la costa se habían cavado trincheras en previsión a un desembarco. Estaban repletas de armas y municiones que los iraquíes habían dejado atrás en su apresurada huida de la capital. De cuando en cuando encontrábamos tanques y otros vehículos militares abandonados. Empezamos a notar entonces la aparición de cadáveres "frescos".

Eran cuerpos de civiles y lo extraño es que como estaban aún frescos no murieron a manos iraquíes. No tardamos mucho en darnos cuenta que sobre los palestinos la población local descargaba su ira. La Organización para la Liberación de Palestina, OLP, había apoyado a Irak después de la invasión. No importaba que esos mismos palestinos hubiesen sido sus sirvientes y que se quedaran a servirlos durante la ocupación iraquí, sobre ellos descargaron su ira. Los humildes cocineros, quienes limpiaban las casas a las señoras de Kuwait... de ellos eran los cadáveres "frescos". No importó que su lealtad los hubiera obligado a quedarse sirviendo durante la ocupación iraquí en vez de huir a través de Jordania, como lo hicieron los millones que se fueron... Palestino encontrado era palestino muerto.

En el departamento kuwaití donde pasamos la primera noche encontramos a Rahman, su sirviente palestino. Rahman nos sirvió de guía durante nuestra estancia en la ciudad. Cuando nos retiramos de Kuwait, ya los estadounidenses habían estabilizado la situación y la vida de los palestinos presumiblemente ya no corría más peligro.

Fue pasado el mediodía siguiente cuando el grueso del cuerpo de prensa hizo su entrada a la capital liberada. Llegó en un vuelo especial desde Dahran y entró a la ciudad en un autobús escoltado por vehículos repletos de militares armados hasta los dientes. Hicieron un "tour" surrealista de la ciudad liberada. Un "guía" los llevó por el palacio de fulano de tal, por la embajada estadounidense, etc., parando unos minutos en cada lugar y, como si fueran turistas japoneses, bajaban en rebaño a tomar fotos o videos en paradas cronometradas. Los seguí de curioso, curioso de ver cómo nuestro cuerpo de prensa cubría el episodio. Tras cada parada subían de nuevo al bus y en cuestión de minutos estaban ya en otro lugar haciendo lo mismo, como niños de paseo en la cueva del ladrón de Bagdad.

La cobertura de la prensa en esta guerra fue espectacular... no por lo que reflejó, sino por lo que no reflejó. Cuando el general Gus Pagonis me dio su estimado de unos 200 a 300 mil iraquíes muertos (luego revisado para abajo), me quedé pasmado porque en los videos la prensa no había mostrado uno solo, y es que el ejército de Estados Unidos había aprendido su lección en Vietnam. La guerra estaba bien para las fuerzas armadas, pero no para estómagos civiles. El estómago civil es débil, no aguanta escenas crudas...

La cobertura de esa guerra fue "cocinada" para quitarle la crudeza y ni un solo reportero con credencial "oficial" transmitió cosa alguna que no hubiese pasado por la cocina militar. Sólo algunos locos "extraoficiales" se atrevieron a aproximarse a la realidad y la prensa oficial los aisló... Yo funcionaba con tres lemas que me servían en lo personal y en lo profesional:

"Per aspera ad astra"...
"Et lux in tenebris lucet"...
—y—
"Et veritas liberavit vos"

herencia de mi educación católica:

"Por lo áspero hasta las estrellas", "la luz brillará en las tinieblas" y, cómo no, "la verdad os hará libres".

Mi respeto por lo que estos lemas significaban fue con altibajos, con grandes altibajos producidos por las circunstancias mismas que finalmente llevaron a mi reencuentro.

El *tour* oficial de prensa por la liberada Kuwait acabó en menos de dos horas y voló de regreso a Dahran. Con un compañero que viajó en el tour enviamos el video de la entrada de la coalición para su transmisión a casa. Todo está bien si acaba bien y las tomas que hicimos llegaron por su mano hasta Dahran y de allí fueron transmitidas el mismo día. Fueron las primeras tomas de la llegada de la coalición a Kuwait y nuestra advenediza cadena hispana había ganado por puesta de mano a todas las demás.

Las siguientes noches las pasamos en el casco vacío de un gran hotel donde la coalición había establecido su cuartel general. Gilberto y yo nos alojamos en dos cuartos alrededor de la piscina. Poco a poco empezaron a llegar otros periodistas que, como nosotros, se atrevían a efectuar el cruce por su cuenta. Para mí ésa era una señal inequívoca de que había llegado el momento de moverse.

Yo, que frecuentemente me vi en la periferia del acontecer humano, en sus márgenes más extremas, me pregunté cuando llegué a vivir en la calle por qué habría sido así. Creo que es porque el grado de mi inseguridad era tal que yo llegaba de manera natural hasta la periferia, a las márgenes más lejanas, hasta las fronteras de la acción humana... para estar solo. Creía que allí, solo, me desenvolvería al menos con tranquilidad. Debo haber creído de alguna manera extraña que la normalidad era... anormal en mí.

Le echaba la culpa a la "normalidad" por mi falta de adecuación a ella y encontraba tranquilidad casi solo en las extremidades en donde prácticamente se agota la competencia. Ése fue quizás parte del secreto de lo que me llevó al éxito. Mi falta de paz en la normalidad me llevó a salir de ella. No podía quedarme dentro de las normas porque era incapaz de convivir con otros. Buscaba la soledad porque en ella había paz. Cuando la normalidad me alcanzaba era indicio seguro de que para mí había llegado nuevamente el momento de moverme.

El día en que el resto de la prensa empezó a llegar al "hotel" me volví hacia Gilberto y le dije que era tiempo de irnos. ¿Hacia dónde?... hacia Irak, por supuesto...

Gilberto y yo decidimos ir a Basora, en la confluencia de los ríos Tigris y Éufrates.

...Basora... la mítica. El área entera está llena de mito y leyenda. Basora, en el extremo norte del Golfo Pérsico, es el puerto del cual partía y al cual volvía el legendario Simbad el marino en cada uno de sus viajes. Fue cuna de leyendas desde tiempos inmemoriales. Cerca de allí, el rey Hammurabi de Babilonia acuñó por primera vez la ley de ojo por ojo y diente por diente, que el día de hoy aún guardan el pueblo judío y el Islam. Hasta Basora nos dirigimos después de reaprovisionar el Toyota Land Cruiser. Hacerlo en la doblemente ocupada ciudad de Kuwait no fue tan fácil como en la bien surtida Dahran. Otros periodistas nos dieron un galoncito de gasolina por aquí, un galoncito de agua por allá, hasta volver a llenar nuevamente todos los recipientes que llevábamos en el interior de nuestro vehículo. El agua fue más difícil de obtener. En la calle el galón de agua estaba más caro que el galón de gasolina, pero para el ejército no hay imposibles. Fue impresionante ver los tanques de agua y combustible de esta guerra. Eran como vejigas inmensas tendidas sobre la arena. Todo el combustible era transportado por avión. El agua era agua de mar filtrada a presión a través de cubos de polímeros plásticos, sólidos como una roca pero porosos como piedra volcánica... El agua filtrada a presión a través de estos cubos dejaba todas sus sales, minerales e impurezas en los poros de los polímeros...

Cuando llegó el momento de partir nuevamente estábamos ya bien aprovisionados. A la salida de Kuwait encontramos más cadáveres "frescos", señal de que la matanza de palestinos no se

155

había detenido completamente. A Rahman, nuestro guía, lo habíamos "cedido" hasta nuestro regreso a otros periodistas, encargándoles que lo cuidasen. Nosotros no lo sabíamos, pero nos convertimos en personajes por nuestro atrevimiento y entre los periodistas hubo varios que viéndonos hacer preparativos para partir se habían alistado para seguirnos sin saber a dónde íbamos. Es así que a una distancia prudencial de nosotros, tan prudencial que no los veíamos, había una columna de cuatro Land Cruisers más con equipos de la CBS, la BBC, Antena 3 y alguno más que no recuerdo... siguiéndonos prudentemente.

A la salida de la ciudad de Kuwait nos esperaban los espectáculos de la guerra... Vimos el acontecer descarnado. Lo primero fue la destrucción y el caos que la coalición sembró entre los iraquíes. El ejército de ocupación de Irak se había retirado de la ciudad de Kuwait cargado de todo lo que pudieron robar, desde alfombras hasta sacos llenos de dinero, motocicletas y automóviles nuevecitos remolcados por tanques y camiones... La codicia no conoce de dignidad. El espectáculo daba risa.

Eran columnas de muerte portándose como patéticas prostitutas, escapando con lo que pudieron sacar de su último cliente. Salieron en caravana de vehículos militares arrastrando toda clase de transportes civiles robados. Todos los televisores y artefactos eléctricos de la ciudad parecían haber estado en ellos, tan grande pareció ser su codicia.

Cualquiera se imagina que un ejército en retirada trataría de ir lo más ligero posible... pero no fue así. Iban tan cargados que avanzaban con pies de plomo y fueron alcanzados antes de llegar a media distancia de la frontera con su país. La coalición los atrapó en un movimiento de pinzas, con la aviación por encima y fueron totalmente destrozados. Al fin de la batalla y muertos los combatientes, un ejército de palas mecánicas arrimó lo que quedaba de ellos a un costado de la carretera, donde se formó un cementerio rebosante de mercadería destrozada.

Se produjo entonces el segundo espectáculo, cuando la población civil de la ciudad de Kuwait llegó a... saquear... el saqueo.

El pueblo de Kuwait en días subsiguientes se apersonaría al lugar y se vería entre destrozos y cadáveres a kuwaitíes aparentemente refinados recogiendo mercadería como niños en un almacén de juguetes. Yo me llevé como trofeo una pequeña alfombra que milagrosamente había escapado a las llamas.

Fue después de ésa, la última batalla de la guerra terrestre, que el general Gus Pagonis —era el encargado de logística— dio su estimado de entre 200 y 300 mil iraquíes muertos.

Fue una matanza totalmente desproporcionada. Del lado estadounidense, el episodio de mayor mortandad fue de 26 o 27 soldados muertos cuando un Scud cayó casi por accidente encima de unas barracas contiguas al hotel en que nos alojábamos en Dahran.

Cuando salimos de ese paraje nos encontramos con otro espectáculo. Delante nuestro se abría como rosario una cadena de pozos en llamas. El petróleo que la antigüedad sembró en el desierto aparecía hoy sobre la superficie en flores de fuego.

El terreno estaba minado y lleno de municiones sin explotar. De cuando en cuando nos encontrábamos con equipos del ejército en la tarea de detonar explosivos que el enemigo había dejado en su apresurada retirada. Avanzamos con sumo cuidado.

Llegamos así a la frontera misma entre Kuwait e Irak, donde encontramos una columna armada del ejército de Estados Unidos. Habíamos llegado justo a tiempo para la firma del armisticio que puso fin a las hostilidades. La carretera había sido cerrada porque se esperaba el aterrizaje en cualquier momento del avión que conducía al general Norman Schwarskopf que por el lado de la coalición iba a estampar su firma al cese al fuego con Irak. Irak aceptaba las condiciones impuestas por las Naciones Unidas. La coalición no entraría a territorio iraquí.

La decisión tomada por el presidente de Estados Unidos de detener la guerra antes de ingresar a territorio iraquí fue en parte por temor a Irán y en parte que, para invadir Irak, hubiese necesitado una ocupación prolongada y esto hubiese arrastrado a Estados Unidos a un torbellino inimaginable...

De haber caído Saddam Hussein y no haber entrado Estados Unidos a llenar el vacío, lo que se hubiese producido es una hegemonía de Irán sobre toda el área, algo igualmente inaceptable para George Bush y los poderes del occidente. Es que los poderes de occidente están en la región como sentados encima de un potro salvaje. Su capacidad de permanencia es tenue. Considerándolo así, todo en frío, imparcialmente, el presidente de Estados Unidos determinó que la presencia de Saddam Hussein era necesaria. Y ordenó que se firmara el cese al fuego respetando el *status quo ante bellum*...

El cruce de la frontera fue abierto tan pronto se firmó el cese al fuego. La columna estadounidense que resguardaba el área se replegó dejando la frontera completamente libre. Del lado de Irak no se veía un solo soldado... Sólo algunos kurdos permanecían alrededor y éstos mecían sus manos en efusivo saludo como si los periodistas fuésemos sus libertadores. Montamos el Toyota y cruzamos... rumbo a Basora, la ciudad de Simbad en la tierra del ladrón de Bagdad. No había tropa iraquí en los alrededores. La tierra estaba como chamuscada, salpicada de agujeros y cráteres de bombas y colgaba sobre ella el humo amargo de las nubes de petróleo ardiente. De cuando en cuando, en el camino puñados de pobladores corrían hacia nosotros mano en alto, saludando, mirando con asombro estas apariciones que venían desde donde hasta hace poco había llegado sólo muerte por aire. Nos deteníamos a conversar con ellos, miembros de la población kurda masacrada por Saddam. Los equipos de televisión que nos seguían se habían ya acercado a nosotros y efectuaban sus propias entrevistas a una distancia... respetuosa. Ejercíamos así la profesión cuando empezaron nuevamente los problemas.

La carretera estaba salpicada de cráteres. Lo mismo con el desierto a su alrededor, así es que manejábamos en un zigzag constante. Lo que es peor, la superficie entera estaba llena de esquirlas y trozos de metal afilado, de modo que muy pronto teníamos las cuatro llantas y la de repuesto destrozadas... No sólo tenían huecos sino que estaban literalmente cortadas en hilachas. Nos encontramos pues en territorio enemigo sin medio de transporte. La solución que se presentó era obvia. La carretera estaba llena de vehículos bombardeados, la mayoría de ellos con llantas intactas. Lo que teníamos que hacer era encontrar vehículos con llantas que pudiésemos colocar en el nuestro. El problema era que la mayoría de los vehículos que encontramos eran chinos o soviéticos y sus ruedas no encajaban en el Toyota... En fin, avanzamos así, robando llantas de cuando en cuando porque las llantas seguían destrozándose y teníamos que "liberar" más a medida que avanzábamos. Fue un andar lentísimo. Algunos kilómetros de avance, un par de llantas destrozadas... un par de llantas robadas... y así seguíamos.

Llegamos de esta manera a las afueras de la legendaria Basora. Fue entonces que empezamos a ver soldados nuevamente. Era gente enloquecida, con los ojos abiertos en contemplación estática de algún horror profundo. Eran supervivientes de la retirada y de los incesantes bombardeos. Reflejaban pánico en su interior y en el rictus de su boca estaba impreso el odio que sentían. Una columna se acercó a nosotros a toda carrera, mano en alto, indicándonos que parásemos. El problema es que Gilberto y yo nos confundimos y creímos que nos estaban saludando. Así pues, paramos... y fuimos blanco de su odio.

No debe haber habido deseo más ferviente en ellos que ver unos soldados americanos sobre los cuales descargar su furia... y ante sus ojos nosotros éramos tan soldados como el que más. Paramos justo a la entrada de Basora y mientras Gilberto y yo nos orientábamos, me di cuenta que uno de ellos venía hacia mí a la carrera, bayoneta al ristre apuntándola hacia mi cuello a través de la ventana abierta del vehículo. Estaba a punto de ensartarme cuando Gilberto se dio cuenta y apretó el acelerador a fondo. El vehículo dio un salto, la bayoneta pegó a un costado... y el motor se ahogó.

Varios soldados cayeron al instante sobre el vehículo, recostándose sobre el motor y apuntándonos con sus AK's. Gilberto me dijo: "Hermano, nos metieron la yuca", expresión muy peruana que caía como anillo al dedo. Nos obligaron a bajar y estoy seguro que nos iban a matar cuando de pronto... llegaron, como en uno de los cuentos de Simbad, los demás vehículos de periodistas que venían detrás. Tuvieron un recibimiento similar al nuestro, a excepción del incidente de la bayoneta. También fueron obligados a bajar... pero ya con tanto occidental armado de cámaras, los soldados iraquíes empezaron a sentirse menos seguros de lo que habían estado a punto de hacer. No era lo mismo matar a dos que matar a una veintena... así es que nos llevaron con las manos en alto hasta el lugar donde estaba su comandante, quien procedió a preguntarnos en su medio inglés qué es lo que estábamos haciendo allí. Se había firmado el cese al fuego, le dijimos, y habíamos ingresado a su territorio para comprobar que en realidad se estuviese cumpliendo. "El cese al fuego se firmó hoy" —nos informó el comandante—, pero no entra en efecto si no hasta mañana... a lo que el británico de la BBC, haciendo gala de la flema inglesa, respondió diciendo: "Oh, so sorry. Our mistake. We shall return tomorrow then"... "Oh, lo sentimos mucho... el error es nuestro. Volveremos mañana pues..."

Y así, diciendo se dio la media vuelta y a paso lento marchó a su vehículo. Gilberto y yo, los únicos lo suficientemente cerca para escucharlos, marchamos tras el inglés. No volteamos una sola vez a ver qué es lo que pasaba. Los demás se quedaron y permanecieron presos varios meses. Yo creo que el comandante se quedó tan estupefacto por la respuesta del inglés que no atinó a reaccionar sino hasta después de que nos fuimos... y además no habría creído en ese momento que fuésemos a llegar muy lejos. Sus soldados habían bayoneteado todas nuestras llantas, lo cual afortunadamente ya habíamos aprendido a resolver. También habían cercenado los cables que iban del motor a la cabina para la recarga de las baterías. Creyeron quizás que así inutilizarían el motor. Cuando subimos al vehículo nos miraron con ojos risueños, como aguantando una risita y cuando el vehículo salió disparado marcha atrás a toda velocidad no atinaron tampoco a hacer nada.

Avanzamos durante un tiempo sobre ruedas con aros dispares, moviéndonos como pato, subiendo y bajando de lado a lado. No nos siguieron porque los iraquíes tampoco tenían vehículo alguno que les quedase en funcionamiento tras los bombardeos. Recordé, con no poco agradecimiento, la puntería de los pilotos de Al Kargh... Muchas veces, después de sus misiones, nos habían invitado a ver el video de los bombardeos... y en ellos vimos tanque tras tanque, vehículo tras vehículo, caer blanco certero de las guías láser de sus bombarderos.

Al caer la noche nos encontramos nuevamente cerca de la frontera kuwaití. Fue un anochecer rapidísimo. Habíamos entrado nuevamente al manto oscuro de los incendios petroleros y al igual que los amaneceres eran lentos y tardíos, los anocheceres eran rápidos y tempranos, dándonos una bien recibida cubierta de los peligros...

Cruzamos la frontera ya hacia el amanecer.

Cuando llegamos a la ciudad de Kuwait declaré terminada mi guerra y volví a casa.

***

De regreso en Estados Unidos se alistaban las elecciones presidenciales. George Bush, que había parecido incontenible durante la guerra, cayó víctima del extremismo de ultraderecha de su propio partido.

Tanto los demócratas como los republicanos son víctimas preferidas de ambas extremas en Estados Unidos... En el partido demócrata busca albergue preferido la extrema izquierda, en el republicano la extrema derecha. Ambos partidos, el republicano y el demócrata, son exitosos cuando logran rechazar los avances de sus extremos, pero cuando caen presa de ellos, los partidos tienen grandes problemas en la elección presidencial. Debe ser por gracia divina que hasta la fecha sólo una vez se le ha presentado al pueblo estadounidense la desgracia de tener que elegir entre los dos extremos, donde en la contienda presidencial se enfrentaron la ultraizquierda liberal demócrata y el ultraderechismo conservador republicano. Y esa vez fue electo Nixon como sucesor de Lyndon Johnson. Aparte de esa ocasión, del binomio demócrata-republicano siempre ha habido por lo menos uno bajo el control de la cordura.

Esta vez el partido republicano se había enamorado de su ala derecha y el presidente Bush, centrista por naturaleza, la cortejaba sin darse cuenta del desastre que ello le significaría.

Había llegado para mí el momento del cambio. Un antiguo Guillermo estaba muriendo dentro de mí. Había visto demasiado para seguir en la ambigüedad, en el mundo de las medias verdades, de la vida en dos senderos. Mi vida reclamaba una respuesta —una sola— a alguna pregunta que yo mismo no lograba formularme. Me sentía como el personaje central de ese cuadro, "El grito". Llevaba los ojos abiertos en expresión silenciosa de algo que no podía formular. Era como si las nubes de humo de Kuwait se hubiesen quedado dentro de mi alma oscureciendo aún más el camino ciego que había recorrido durante casi toda mi vida.

La duplicidad de mi existencia tenía que terminar. Mi dependencia, la posesión de mi ser, tenían que recibir la estocada final... y no sabía cómo darla.

Pasé meses sabiendo con toda claridad que estaba llegando al final de mi cuerda. Seguía dirigiéndome durante las mañanas al edificio de vidrio y mármol que albergaba mi oficina en la Colina del Capitolio, sabiendo que no quería volver más a ella... pero sin atreverme a parar de manera consciente. Buscaba una salida "fácil", buscaba escapar a la responsabilidad del momento, buscaba no tener que ser yo quien le diera el tiro de gracia a la vida que quería dejar. Tenía miedo de la verdad... ansiaba todavía la cubierta de la oscuridad. Mi himno personal seguía siendo "La Cucaracha". Me sabía débil porque conocía con claridad el profundo grado de mi posesión... Era un poseído.

Fue al final mi subconsciente el que me sacó de la encrucijada. Un día simplemente me drogué tanto que no pude volver al trabajo y después de ello enfrenté la decisión. Renuncié a mi empleo de 19 años.

...Había llegado al final de mi cuerda. Trabajé por dos años más dando tumbos, en Telemundo y canal de noticias NBC... pero carecía de estabilidad... así es que finalmente...

MECAÍ DEL CABALLO...
O DE LA BICICLETA...

Perdí el equilibrio de manera tan total que acabé en 1994 viviendo literalmente... en la calle.

***

Desde un departamento en uno de los mejores barrios de los suburbios de Washington me dediqué a mi transición a la calle.

Empecé por encontrar mi zona de acción, el lugar a donde fui a vivir mi vida de mendigo. Es así como llegué al barrio llamado Adams-Morgan en Washington, un barrio relativamente pobre que se había convertido en el centro de la población hispana de la ciudad. Es también el barrio bohemio de la ciudad, a donde llega el esnobismo de la capital a comulgar con la baja humanidad, a recibir su cuota de sentir comunal, a sentirse noblemente tercermundista, y en algunos casos a satisfacer también su necesidad de bajeza al descubierto...

El inicio de mi vida en las calles comenzó con el despojo de mi personalidad ficticia...

Filosofía de la calle (4)

Quizás toda personalidad sea ficticia en el sentido de que la personalidad no es el ser y cree serlo. La personalidad es algo así como el agente de relaciones públicas del ser. Y como toda relación pasa a través de ella, la personalidad poco a poco se cree dueña de la enteridad del ser. La personalidad es notoriamente megalómana. Suele encajonar y torcer a la totalidad de "su" ser hasta que éste

163

empieza a cumplir su voluntad. Todos sufrimos así de la tiranía de la personalidad durante al menos gran parte de nuestras vidas. Son grandes los periodos de nuestras vidas en los que vivimos totalmente bajo el dominio de nuestra personalidad. El ser que transcurre su existencia así, bajo la cubierta de la personalidad, vive invariablemente una ficción... porque la personalidad no es más que pose y relación. Es manera. No es contenido. Cuando la personalidad actúa como si tuviese contenido real... eso es una ficción, se vive una ficción... Es ficción porque la personalidad se cree ser y esencia, y es sólo pose y manera. Cuando la personalidad se adueña del ser se sustituye la esencia por la pose...

La personalidad legítima es "natural". Hay características inescapables en la personalidad de todos y cada uno de nosotros. Son rasgos que obedecen a alguna necesidad del ser, a la química de nuestros organismos, a la herencia que nuestros padres nos dieron y a determinadas circunstancias de la vida que nos marcaron de manera indeleble. Eso es lo natural en las personalidades legítimas.

Hay aspectos en la personalidad que crecen sin causa necesaria... Ésos son rasgos ilegítimos en la personalidad. Son los cánceres del ser... Son aspectos "ficticios" de la personalidad, ficticios porque adquieren tal envergadura que creen haber adquirido sustancia y esencia... y no es así. Crecen como enredadera alrededor del ser al que debieran servir... hasta que lo ahogan en su crecimiento sin control... Son ficticios porque suplantan al ser y beben y comen a nombre de él.

Hay quienes creen en la existencia de personalidades adictivas como si fueran naturales... Yo creo que la personalidad adictiva es toda "ficticia". El problema con los rasgos ficticios es que crecen como enredadera, oprimen y encierran al que debieran servir. Y como en nuestras vidas muy pocas veces llegamos a podar nuestra personalidad... los rasgos ficticios acaban casi siempre envolviéndolo a uno.

Las ansiedades que tanto caracterizan nuestras vidas son sólo el grito de dolor de nuestros seres oprimidos por personalidades enredaderas...

Son gritos de vidas que no logran encauzar sus personas, sino que son encauzadas por ellas.

Hay que despojarse de todo lo ficticio. El proceso de renacer implica una tremenda poda de la personalidad. A veces podamos nosotros, a veces nos poda... quién más, la verdad.

El despojo de mi personalidad empezó en el trabajo. Acababa de cumplir seis meses de un contrato de tres años con NBC en español y era obvio que no podía continuar. Lo que antes había visto con pánico, la perspectiva de perder un empleo, ahora lo contemplaba como una necesidad. Sencillamente no podía seguir... por miedo.

Comenzó así mi huelga contra el discreto encanto de la burguesía... Había empezado —sin saberlo— mi búsqueda de... lo esencial. Creo que no saberlo conscientemente garantizó su autenticidad. De lo contrario me hubiese rodeado de poses. NBC finalmente dejó de pagarme el salario y me envió una carta suspendiéndome hasta que volviese a la cordura y me sometiese a examen médico...

El despojo externo fue relativamente fácil. Vino natural con la pérdida del empleo y del dinero. Lo interno fue más difícil... ¿Cómo es que llegué a despojarme de actitudes que había mantenido durante toda una vida? ¿Cómo llegué a despojarme de mis ansiedades, miedos, temores, vicios, dependencias?

Se aprende a nadar... nadando. Me despojé... despojándome. Haciéndolo. El secreto está en eso: en ejercer la verdad, y hacer es ejercer la verdad. Por eso el trabajo libera: porque es un hacer. Es distinto a pretender. Hacer libera porque la verdad libera... Pretender oprime.

Había transcurrido casi un mes de mi huelga cuando cambié mi traje italiano por el del pordiosero que encontré en la estación del metro de Friendship Heights, en Bethesda, Maryland. Fue un acontecimiento mayor. Facilitó grandemente mi comunión con los otros mendigos de la ciudad. Hasta ese momento habíamos

165

estado separados por la infranqueable barrera de la apariencia. A partir de ese momento empecé a sentarme junto a ellos sin que se apartaran y empezaron en mí cambios más profundos. Llegaron... naturalmente.

Entre los primeros amigos que hice en la calle estuvo Julito, un marielito afrocubano que cuando estaba sobrio era una linda persona, pero cuando caía bajo el influjo del crack se volvía su prisionero sin poder escapar. Estaba también Lázaro, otro negro cubano que paraba en la misma esquina que Julio, en la calle 17 con la Columbia Road en Adams-Morgan, una esquina que en ese otoño del 94 tenía lo que más quieren los desamparados: una licorería y una lavandería. La lavandería era refugio contra el viento helado que comenzaba a soplar del norte... y la licorería era para los desamparados el refugio contra los vientos que soplan de su interior. Las licorerías en Washington abren a las nueve de la mañana, así es que en los minutos antes de esa hora se formaba frente a ella una cola de alcohólicos como si fueran enfermos graves esperando a que abran la farmacia.

El día que conocí a Julito estaba sentado en la acera junto a la licorería, cantando a voz en cuello a la espera de que abrieran sus puertas. En el aire flotaban ritmos afrocubanos. El grupo, como de costumbre, había juntado sus recursos de diez en veinte centavos hasta completar lo necesario para una botella. La unión es... por necesidad, porque no hay lo suficiente para compras individuales. Cuando llegué ese día vestido de mendigo y con cara de necesitado fui bien recibido. Me reconocieron de mi vida anterior en la televisión, y si bien les fue difícil verme en mi nueva modalidad hubo algo que facilitó mi aceptación: que por años me había aparecido en esa misma esquina a comprar paquetitos de mariguana de a diez y veinte dólares...

Fui el "hit" del momento. Esos primeros días de mi llegada a la calle fueron relativamente suaves. La gente me quería cobijar... pero me sentía incómodo. Para mí era todavía un problema dejarme rodear por gente a la que por crianza había aprendido a despreciar, rechazar y temer.

166

Ese primer día en la esquina, Julio, Lázaro, Zapatón, Armando y Chuleta reunieron pronto el dólar noventa para su botella de Velikoff y la compartieron conmigo. Bebían como "gentlemen", de un vasito de papel aplastado. Cuando el Velikoff tuvo el efecto previsto, el grupo arreció sus canciones a voz en cuello, conmigo en medio.

Algún tiempo después y un par de botellas más tarde vi por el costado del ojo a una figura conocida, al embajador Patiño de la República de Argentina... Ay, qué miedo me dio en mi vanidad de ser visto así... Había llegado al momento de la verdad... Fui presa de un pánico... muy repentino... como suelen ser todos los pánicos. El embajador siempre me había visto como hombre elegante, pretencioso, en control de su situación, acompañado de asistentes y productores. Ahora estaba a punto de verme sucio, harapiento, entre mendigos y alcohólico... No... Mi primer impulso fue correr y lo primero que hice fue alejarme del grupo, pero otro pensamiento asaltó mi conciencia: que estaba siendo no sólo un cobarde, sino que estaba siendo un traidor a esos borrachos que me estaban acogiendo. Me armé de valor, volví al grupo, tomé otro trago —largo— de su vodka y esperé. Cuando llegó Patiño me dio la mano, me entregó un billete de a veinte... y siguió de largo... Recuerdo el momento como el de mi primer despojo interior.

En esos primeros días vi algo que me recordó un incidente de mi vida anterior... La calle Columbia Road tiene dos parques en el corazón del área hispana, el "parque de las ratas" y el "parque de las palomas"... y se llaman así porque tienen precisamente esas dos poblaciones perennes, de ratas y de palomas... Las palomas grises son como ratas del cielo en las ciudades americanas, y lo que en otros países son las blancas palomitas del amor aquí son las grises palomas de su cemento frío.

Ratas en la noche, palomas en el día, ambas se disputan los desperdicios del tráfico humano... y ambas llevan su carga de enfermedad sobre la piel y debajo de sus plumas. Con ratas y

167

palomas, como en una trinidad local, los borrachos y adictos comparten los desperdicios.

Sentado un día en el parque de las palomas estaba en la banca delante de mí un negro americano, de pelo blanco, bebiendo una de las cervezas preferidas de los alcohólicos de la calle, una Old English 500... preferida por ser la más barata y muy embriagadora... una botella grande se vendía por un dólar diez.

Este viejo tomaba su cerveza directamente de la botella, camuflada dentro de una bolsa de papel marrón como es costumbre en la calle, cuando otro negro americano, un joven de menos de treinta, se la arrancó de las manos. El viejo la recobró, el joven le dio un manotazo y, total, la botella cayó al piso y con un ¡plooff! de espuma se destrozó. El viejo sacó una navaja, el joven sacó otra... y le pegó en el estómago al viejo. Todo ocurrió en menos de treinta segundos, delante de mí... por una botella de cerveza...

Recordé historias de cómo la cuchillada al principio es sentida como un golpe y nada más... recordé haber visto en tardes de toros al animal herido dar vueltas y vueltas como si nada hasta caer al suelo... El viejo igual. El joven se dio a la fuga y el viejo alzó las manos creyéndose ganador...

Un hombre por una botella. Shakespeare coloca en labios de Enrique III su inmortal "mi reino por un caballo"... Las cosas no han cambiado mucho. En la guerra del Golfo fueron cientos de miles de hombres por un reino de petróleo...

Las líneas de demarcación entre el mundo de arriba y el mundo de abajo empezaron a borrarse desde mi primer día en la calle. Había pensado que la diferencia entre ambos mundos era más cualitativa que cuantitativa. Que no era una cuestión de tener, no tener o de cuánto tener lo que causa las diferencias, sino que la diferencia radicaba más bien en la calidad de las vidas en esos mundos. Ahora empezaba a parecerme más bien que cualitativamente los seres de ambos mundos somos muy parecidos... que no era en realidad una brecha de calidad lo que nos separa, sino meramente un abismo de cantidad. Empezó a parecerme que cualitativamente ambos estratos son no sólo similares, sino iguales... y que la diferencia es cuestión de cuánto y cómo.

Recuerdo también preguntarme vez tras vez cuán poco pueden pensar de la calidad humana de la gente las compañías que fabrican las cervezas y los licores ultrabaratos, a sabiendas de que la inmensa mayoría de quienes los consumen lo hacen en circunstancias de abyecta desesperación... y promueven su artículo de muerte como si fuese ángel de salvación. El gran camello, la cobra asesina, el toro vital, símbolos de productos cargados de muerte, abonos de personalidades desquiciadas que ahogan al ser del que se nutren.

La Casa. Ése es el nombre del refugio para desamparados en el corazón del barrio latino de Washington. Está sobre la calle Irving. Muchas veces en medio del frío más frío del frío invierno llegué a sentir el impulso de cobijarme en el aire cálido de su interior. Nunca lo hice. Siempre supuse que estar en la calle tenía su propia dignidad... Y siempre supuse que la dignidad moría en los refugios.

Hay pocas cosas peor diseñadas y peor administradas que los refugios para indigentes en la capital del país. El refugio carece de lo vital: carece de belleza, sin lo cual el alma sana no puede subsistir. Carece de amor, sin lo cual el espíritu se apaga. Y carece de verdad, con lo cual el refugio se transforma en centro de oscuridad y muerte. El refugio típico para desamparados trata a la gente como animal.

En el mundo de la calle hay dos categorías: el que vive en refugios y el que vive fuera de ellos. Fuera del refugio la gente tiene que ejercer su libertad para subsistir. Dentro del refugio esa calidad vital del espíritu humano, la libertad, no tiene oportunidad de florecer. En los refugios están los que ya han sentido el sabor de la institucionalización y se han conformado a él: ex prisioneros, enfermos mentales y aquellos que en general han dejado de buscar dentro de sí... Las camas en La Casa, una tras de otra a medio metro de distancia, no daban lugar a privacidad alguna.

Una noche de mi peregrinar a alguien se le ocurrió ir a comprar crack. Muy sorprendido quedé cuando llegamos al refugio y mi

169

compañero se dirigió a comprarlo allí... Así son los refugios que conocí, cuevas negras de la oscuridad del alma. Es tan difícil escapar a la oscuridad dentro de ellos...

Nunca, ni un solo día, me cobijé en un albergue. Ocurrió al contrario. Me convertí en una especie de albergue *ad hoc*.

***

Quizás haya sido producto de la guerra fría, cuando se intentaba incomodar al enemigo a toda costa. En la calle 16 en Washington está la embajada cubana. Se le llamaba "sección de intereses" en el argot diplomático. Hace muchos años, frente a ella funcionaba una escuela de leyes, Antioch College. Ocupaba una mansión de piedra en lo mejor de la colina del meridiano en Washington, hasta que un incendio le puso fin. El destino posterior del edificio fue de lo más extraño. Nunca fue reconstruido, a pesar de que la estructura de piedra no sólo era imponente: era hermosa y carísima para estándares actuales. Estaba, como estructura, básicamente intacta. Seguramente permanecía así a propósito, para hostigar a la legación cubana rodeándola de lo peor del urbanismo. Junto a la casa quemada hay otra estructura también misteriosa, una casita bien pintada y conservada, siempre con el césped bien cortado, siempre con las persianas corridas, cuyos habitantes jamás vi en todo el tiempo en que viví en la casa quemada. Y, sin embargo, todas las noches se prendían luces en su interior y de allí de cuando en cuando salían ruidos. Era una casa, estoy convencido, ocupada por organismos de inteligencia para monitoreo de la "sección de intereses" de Cuba.

Cuando cayó el frío sobre Washington en el primer otoño de mi peregrinar callejero, recordé la mansión quemada. Parecía ser un lugar donde la policía no entraba a pesar de que muchos desamparados paraban abiertamente en su primer piso... o quizás precisamente por eso, permitiendo su tugurización. Frente a la casa quemada estaban día y noche varios miembros del servicio secreto uniformado de Estados Unidos, custodios de embajadas y otras cosas. Me pareció el lugar ideal para crear "mi" propio "refugio", un refugio ... ¡con servicio secreto al frente y al costado! Lo bauticé como "el palacio".

En el palacio vivía una persona llamada Joseph, un negro antillano más conocido en el barrio como "el Gritón", porque constantemente lanzaba gritos al cielo. Gritaba su filosofía, sus quejas y sus opiniones. Era un ermitaño moderno, otro retirado del mundo. Había acondicionado un cuarto en el primer piso y allí vivía desde hacía años. De mis primeras conversaciones con Joseph nació el segundo nombre del palacio. Sería el palacio... de los filósofos.

Joseph vivía en el primer piso. Yo me fui a vivir en el segundo. Conseguí algunas planchas de madera prensada y me acondicioné un cuartito en lo que había sido la sala principal... y el edifico poco a poco se fue llenando de residentes semipermanentes, de una población de habitantes de la calle entre mendigos y drogadictos, alcohólicos, prostitutas y uno que otro ladrón, la mayoría de ellos latinos, a excepción de algunos afroamericanos y dos anglosajones, Steve y Chris. Steve hablaba italiano a la perfección, Chris se deleitaba en el más puro de los franceses... Fue una comunidad que creció de manera natural. Crearla no fue objetivo consciente de nadie. Poco a poco empezó a congregarse en el palacio gente en busca de conversación y refugio y empecé a "asignar" cuartos en el inmenso edificio. Llegamos hasta tener un cuarto de huéspedes... todo con la máxima "discreción"... salvo por los constantes alaridos que Joseph lanzaba al cielo... pero en fin, el vecindario y la policía estaban tan acostumbrados a ellos que los hubieran echado de menos de haberse interrumpido... y además... seguramente eran una molestia más para los cubanos del frente.

El palacio continuó viéndose por afuera como siempre, un edificio destruido por un incendio, lleno de maleza y basura. Sólo en algunos ambientes de su interior se podía notar diferencia alguna... y no mucha. Yo me fui mudando a medida que el edificio se fue poblando y llegué eventualmente a vivir hasta en el cuarto piso de los cinco que tenía.

El quinto piso, el más quemado de todos, era nuestro refugio en caso de violencia. En ese piso había sólo un rincón con piso sólido. Para llegar ahí había que pisar con mucho cuidado sobre las pocas vigas que quedaban intactas. Una pisada sin cuidado... y la persona se caía hacia abajo hasta el cuarto piso. Sólo los residentes "oficiales" sabían cómo llegar a ese lugar. Cuando llegaba alguien amenazando violencia corríamos allí a refugiarnos.

Quemado, sin luz, sin agua, sin electricidad, sin ventanas que obstruyesen el viento, yo subía y bajaba sabiendo que muy pocos que no conociesen el lugar se atreverían a entrar. Era, después de todo, un lugar peligroso, con huecos en todos lados, con vigas quebradas, con tablas llenas de clavos en el piso...

***

En el Senado de Estados Unidos había un republicano alto y amable, con un intelecto agudo y poseedor de una erudita cultura, el senador Alan K. Simpson, republicano de Wyoming. Conocí a Simpson el mismo año de mi llegada a Washington, en 1981, cuando junto con el congresista Romano Mazzoli, preparó una reforma de las leyes de inmigración cuyos contenidos básicos eran dos: declarar ilegal la contratación de indocumentados y, al mismo tiempo, dar una amnistía y conceder la residencia legal en Estados Unidos a millones de indocumentados que habían llegado antes de determinada fecha. Me pareció una idea con posibilidades y decidí apoyarla. La totalidad de las organizaciones hispanas del país se opuso rotundamente a ella.

Cuando se trata del tema del indocumentado las organizaciones hispanas y anglosajonas en Estados Unidos asumen posiciones que provienen más de un reflejo condicionado que del ejercicio racional del intelecto. Sus posiciones son tan duras... y tan quebrantables como el vidrio... Cuando le ofrecí mi apoyo al senador Simpson fue porque sinceramente me pareció buena su propuesta. Invité a Alan Simpson a mi programa "Temas y Debates", y sobrepasando a las organizaciones hispanas logramos obtener el apoyo de la comunidad. Alan Simpson se convirtió en mi amigo. Volvió muchísimas veces a mi programa a lo largo de los años en

172

que duró la lucha por lograr la aprobación de la ley Simpson-Rodino-Mazzoli.

Desgraciadamente, hay instintos en el país que nunca se satisfacen y el indocumentado sigue siendo hueso favorito de contienda cada vez que llega la hora del frenesí electoral.

Había estado viviendo en la calle durante casi un año. Había obtenido gracia y maná del cielo. El maná del cielo lo recibía todas las mañanas en las que me levantaba sin un solo centavo y pronto me encontraba con lo suficiente para mi "desayuno" de vodka y café. La gracia vino de la confesión.

Es verdad que la confesión da gracia...

Filosofía de la calle (5)

Mi confesión a los hombres había sido de lo más pública y de ella había derivado una gran paz en mí. Finalmente había puesto término a la duplicidad de mi ser. Confesar públicamente mi naturaleza me permitió aunarme a la verdad. La verdad es la roca sólida sobre la cual reposa el edificio del ser. El edificio de la personalidad, levantado sobre pose y apariencia, carece de reposo propio. La verdad nos da reposo. A ese reposo se llega mediante la confesión de la primera verdad: confesando aquello que somos, primero a nosotros mismos y luego ante los demás. Encontramos la verdad en la desnudez del ser. Por eso la imagen del agua en el bautismo... después de todo a nadie se le ocurre meterse al agua vestido. La gracia de la confesión, al igual que la renovación de la vida en el renacer, no se encuentra en ninguna ceremonia. Esa confesión y ese renacer tienen que ser efectuados con la totalidad del ser y de la vida. No es un mero formulismo. Sólo entonces se llega a vivir en gracia.

Yo obtuve gracia en la unidad de la verdad en los días de mi desnudez... Eso es confesión real: desnudo mostrarse como se es, a sí mismo y ante los demás.

Mi maná del cielo también fue muy práctico. Mis compañeros recolectaban... yo vendía. Recolectábamos todo tipo de porquería y desperdicio. Si Joseph era el rey de los recolectores, yo era el rey de los vendedores. Limpiaba y acondicionaba lo recogido y afuera me iba a venderlo. Los juguetes nunca fueron puestos en venta, siempre eran regalo para niños... Y la gente me compraba, ¡vaya si me compraba!

Un día domingo en el mes de agosto encontré en la basura algunos collares, pulseras y aretes de fantasía barata que alguna mujer había desechado. Luego de darles una limpieza a fondo salí a venderlos en una elegante cafetería de la Columbia Road, Avignon Freres. En su interior encontré a una antigua colega, Pamela Constable, que escribía para el diario *Washington Post*. Para qué decir que se quedó muy sorprendida al verme. Me sentí mirado por ella como se deben sentir miradas muchas mujeres a las cuales los hombres no les despegan la vista de sus pechos... Los ojos de Pamela parecían atraídos por la suciedad de mis manos, y en ellas cargaba el tesoro encontrado en la basura de esa mañana. Pamela me compró algo de la mercancía... y volví gozoso al palacio. Volví a verme con ella varias veces y de esos encuentros resultó un largo artículo en el *Washington Post* que fue reproducido en muchos diarios del país.

En su oficina del Senado, el senador Alan K. Simpson, republicano de Wyoming, leyó el artículo de Pamela Constable.

En la calle hay muchísimas reglas de comportamiento, tantas como en la sociedad más enrarecida... Una de esas reglas consiste en nunca, jamás, de ninguna manera decirle a extraño alguno dónde se puede encontrar cualquier compañero de la calle... Quién sabe, después de todo puede ser que el extraño sea un policía, algún investigador, alguien a quien se le debe dinero, etcétera.

La segunda regla de la calle es actuar siempre a partir de la base de la sospecha y la desconfianza.

En la vida hay gente cuyo punto de partida en su relación con otros es confiar a primera vista... hasta que ocurra algo que nos lleve a desconfiar.

Otros parten del lado opuesto: de una desconfianza generalizada hacia todos, sospechando de todo y todos hasta que se compruebe que son merecedores de confianza.

El que parte desde el punto de vista de la confianza general está condenado a la desilusión. El que parte del punto de vista de la desconfianza general está condenado al cinismo.

¿Existe un punto intermedio? Sí, pero es difícil llegar a él. Está en enfrentar el mundo con la primera verdad, la verdad de uno. Nadie se desilusiona ni se vuelve cínico cuando se enfrenta al mundo con su verdad, la verdad interna.

La falsedad del mundo pierde su poder ante la verdad.

Cuando se vive la verdad es fácil distinguir la falsedad porque la verdad... la verdad es. La verdad tiene la fuerza de ser. Todo el resto, todo lo demás, no es...

La gracia que da la confesión está en llegar a la fuerza de la verdad, la fuerza de ser de verdad.

La gracia de la confesión está en el vivir en verdad, y eso le permite a uno recibir amor. Mi confesión personal hecha no sólo de palabra sino con mi vida entera empezó a llenarme de una fortaleza interior que nunca antes había sentido.

La ansiedad, los temores e inseguridades vienen del vacío de verdad interior. Volver a la Verdad Interna, mi renacer, borró en mí lo que ninguna píldora, ninguna droga y ningún psiquiatra pudieron borrar. El nervioso, inseguro, temeroso y ansioso Descalzi murió y en mí se sembró fortaleza en la unidad de la verdad y el amor.

La posición de la calle es la de la desconfianza generalizada, y cuando un extraño se acerca preguntando por alguien la respuesta invariable es... "no sé de quién me habla".

Así las cosas, estaba yo un día descansando en el "solario" del palacio, un cuarto en el tercer piso con un hueco en la pared exterior por el cual entraba el sol, cuando llegó Zapatón a decirme que por más de dos horas ese día un "gringo alto y pelado" había estado preguntando por mí en la Columbia Road y que había ofrecido "¡veinte dólares!" al que me encontrase. Iba a volver al día siguiente al parque de las palomas a las dos de la tarde, a ver si me habían encontrado... Zapatón quería los veinte dólares y vino a pedir que fuera con él a las dos de la tarde del día siguiente para ganarse su billete. Accedí, no sólo porque quería que Zapatón se ganara sus veinte dólares, sino también... por curiosidad... ¿Quién sería ese "gringo alto y pelado"?

Al día siguiente en el parque había no uno sino dos "gringos"... El senador Alan K. Simpson, republicano de Wyoming, había enviado a su jefe de personal y a su jefe de prensa a buscarme... Me conmovió Simpson, a quien consideraba un señor entre señores. El suyo fue un ejemplo bello. Poco a poco, a través de figuras como la de él fui recobrando mi confianza en el otro lado de la montaña, y poco a poco también empecé a percibir la necesidad de efectuar un regreso a él.

Otra figura de amor y verdad en mi peregrinación callejera fue la del único colega de la prensa que siempre y de manera indiscutida me tendió la mano: José "Pepe" Carreño, digno corresponsal mexicano. Pepito Carreño, príncipe de buen aire... *debonair* del barrio y de la profesión. En los instantes de necesidad más extrema, él fue muchas veces la personificación del maná para mí, y cuando todos los demás retiraban la mano Pepe siempre la extendió. Me es imposible poner el suficiente énfasis en lo benéfico de actitudes como las del senador y la de Pepe Carreño: transmiten un mensaje de aceptación que solamente puede emanar de almas que han encontrado su propia comunión con la humanidad desgarrada y la han amado. Sólo puede provenir de seres que viven en verdad.

7

Filosofía de la calle (7)

¿Aceptación? La palabra existe sólo en algún rincón perdido en la memoria de las gentes de la calle. Si es que hay algún anhelo en común entre los seres vivientes, éste debe ser el de encontrar aceptación. ¿Qué es el amor después de todo sino la presencia específica de la aceptación y de su pareja, la entrega?

Vida sin aceptación, vida sin entrega: Vida sin amor.

¿Qué cosa es la soledad sino la carencia de amor? ¿Y qué soledad más desesperada puede existir sino es aquella que está rodeada de rechazo, de carencia de aceptación y entrega?

Qué fácil es beber... el alcohol acepta. Qué fácil es drogarse, la droga acepta... y qué difícil es relacionarse, amar, luchar por la vida cuando se vive con rechazo...

La historia de la calle es una historia de rechazos casi inimaginables. En las pocas cuadras del centro hispano de Washington hay miles que fueron expulsados de su tierra en medio de un rechazo tan extremo que fueron públicamente designados como escoria de la humanidad. Son cubanitos como Julio, Pedro, José, Lázaro y Guajiro, que vagan perdidos de piedra en piedra y de botella en botella quizás porque perdieron totalmente ya el sentido de la lucha por la vida misma. Cansados de llamar y con su alma destrozada, han perdido la fe del corazón.

Muchos de ellos en los fríos inviernos, en los lluviosos abriles y en los tórridos veranos de Washington encontraron algo de aceptación en el dudoso cobijo de las gradas de una iglesia. A un costado del parque de las ratas está un edificio construido como templo de la antigüedad, con columnas dóricas y capiteles romanos. Pertenece a una denominación cristiana... La gente de la calle utilizaba ese espacio de belleza detrás de sus columnas y debajo de su inmenso capitel para beber, dormir, fumar, guarecerse y descansar... Durante el día sus gradas se convertían en la única salita de estar al alcance de esos desesperados, en el único lugar de tregua a su escape constante del rechazo universal... Hasta que un día llegaron policías a sus gradas, seguidos de un equipo de trabajadores de construcción. Desalojaron a los mendigos y construyeron una reja de metal, alta y con puntas, rodeando totalmente al edificio. La iglesia había desalojado a los mendigos... se había limpiado de los rechazados de la vida.

Yo me imaginé titulares: "Cristo bota a los mendigos del templo", "Cristo bota a los desamparados", "Cristo bota a los alcohólicos, a los perdidos, a los menesterosos". Hay gente que no se da cuenta de lo que hace en el nombre de Dios... En muchos lugares, el mundo verdaderamente parece que estuviera al revés.

En esas gradas perdidas conocí al Guajiro. Era un alcohólico de esos que llegaron cuando Fidel Castro los botó y Jimmy Carter los aceptó...

Fruto del último de los rechazos, del rechazo público de toda una nación, esa mezcla de entrega castrista con aceptación carterista no produjo en ellos el amor que debió haber sido su resultado. El bebé de Jimmy-Fidel fue algo así como el bebé de Rosemary. Fue un hijo de desolación que flota a la deriva en corrientes de vodka Velikoff y humo de piedra blanca. Guajiro fue uno de ellos. Era alto, delgado, buen mozo, de ojos azules y de pelo rubio. Había sido timonel en la Cuba de Castro hasta que algún desliz lo colocó en prisión. Un buen día en el año 80 cuando su hijo —que es igualito a él— estaba por nacer, Castro lo metió en un bote en el puerto de Mariel y lo mandó para Estados Unidos. Su hija de dos años, su mujer y su hijo por nacer quedaron atrás para siempre y Guajiro pasaría los años tratando de borrar su imagen en mares de licor. Acá fue rechazado nuevamente. Cuando llegó lo pusieron como indeseable en el campo de detención en Khrome... y tiempo después cuando salió fue rodando como piedra en el camino, sin poder parar. En las gradas de la iglesia parafraseaba el poema de Antonio Machado:

Caminante no hay camino,
se hace camino al andar...
Al andar se hace el camino
y al echar la vista atrás
verás el sendero
que nunca has de volver a pisar.
Caminante no hay camino,
sólo estelas en la mar...

De Guajiro se puede hablar como si fuese personaje de uno de los versos de García Lorca.

Alto, de verde luna, Guajiro anda despacio y garboso. Sus empavonados bucles le brillan entre los ojos. Guajiro, dime, ¿quién eres tú? Con una botella de vodka vaga por la calle en busca de su muerte... Guajiro, detente... que te queremos mucho... pero ya Guajiro... ya no escucha, y si es que escucha es al rugido de la vida y no al suave susurro de su amor. Es que el Guajiro se ha acostumbrado ya al solo rugir. En la calle ha perdido la fe del corazón.

En el parque de las ratas, frente a la iglesia, había unas gradas donde los borrachos se sentaban a beber. Siguiendo el ejemplo de la iglesia, el gobierno municipal de Washington también envió un grupo de hombres con martillo hidráulico y rompió las gradas, aplanó el parque y lo cubrió totalmente de cemento. Lo limpió de perdidos de la vida. Borraban al hombre para preservar el paisaje. Muchos de los borrados se fueron al palacio de los filósofos... *naturlich*.

Guajiro llegó así a mi mansión quemada. Rodó conmigo en Washington y me siguió en busca de su salvación hasta las calles de Miami, pero no la ha podido encontrar. Es que no ha matado todavía su orgullo y para encontrar perdón de sí mismo tiene primero que matarlo... admitirse como es, aceptarse . Yo tengo fe de que lo hará.

Quizás de alguna manera los alcohólicos y los drogadictos seamos unos cobardes porque no podemos aguantar los dos malestares más leves de la existencia, el aburrimiento y la mediocridad. Es porque no tenemos humildad. Es por eso que muchos bebemos y nos drogamos. No porque busquemos grandes horizontes, sino más bien por escaparnos de una pequeñez que no podemos aguantar... porque somos demasiado algo... orgullosos o intolerantes... para aguantar. Es el problema de muchísimos alcohólicos y adictos: que no podemos aguantar nuestra propia vida en humilde normalidad.

¿Y qué es la humildad? Humildad no es humillación. Humildad es aceptarse tal y como se es, con todos sus defectos y con todas sus virtudes... nada más y nada menos. Humildad es vivir la verdad interior. Ser... quien se es.

En Washington las calles eran frías, las calles eran duras. Una de las primeras consecuencias de haberme tirado a ellas fue sufrir una pérdida de peso descomunal. Bajé algo así como 25 kilos, más de 50 libras. Estaba hecho un flaquito... La ropa colgaba de mi pecho como trapo sobre una percha. A esa figura se añadía una barba crecida y blanca que nunca recibió cuidado alguno. Usaba gorra o sombrero para camuflar mi siempre despeinado cabello. Portaba una figura pintoresca. Mi estilo de vestir era el de una cebolla, con capa tras capa de ropa, con uno o dos abrigos y con una o dos bufandas, todo lo cual me ponía o me quitaba según la temperatura. La ropa la recogía en el parque de las palomas donde alguna caridad la depositaba semana tras semana en paquetes de todo tipo. Era en su mayoría ropa casi nueva y siempre bien lavada y planchada. Siempre recogía también algo para vender... y siempre vendía.

En las mañanas de los fines de semana, después de pasar por el parque de las palomas a ver si había algo qué recoger, me dirigía a "la polvosa" a comprar el crack diario de cada día... La "polvosa"... la cancha de futbol, polvorienta como su nombre lo indica, a un lado de la escuela secundaria Lincoln en la calle 16.

Los días de semana se vendía allí todas las noches, desde el atardecer hasta el amanecer, crack. La policía lo sabía, no me cabe duda de eso. Una de las interrogantes que tuve en ese tiempo en la calle y que aún no he podido despejar es por qué la policía no hace algo si sabe dónde están los mercados permanentes de droga... Quizás sea porque hacer algo es como tratar de detener las olas del mar. Siempre viene otra ola detrás.

En las calles de Washington hay básicamente dos tipos de mercados de drogas... los "negros" y los "latinos". Los negros son peligrosos para cualquiera que no sea de su raza... Aparte del peligro natural y congénito del mundo de la droga se añade allí para cualquier no negro, el odio racial tan exacerbado en la capital. Yo aprendí de manera muy ruda. Una mañana, cuando se había secado el mercado latino me fui al negro, me robaron a punta de cuchillo y me quitaron los veinte dólares que llevaba encima.

Y el mercado latino era igualmente peligroso para cualquiera que no fuera latino... En la polvosa el latino despachaba al latino... y había mucha desconfianza hacia cualquier desconocido.

Como Washington es básicamente ciudad negra, en los accesos a la polvosa solían colocarse grupos de negros listos para asaltar a los clientes de los vendedores latinos. Eso producía enfrentamientos constantes entre bandas rivales de latinos y negros. Los vendedores latinos, organizados, protegían su negocio "disuadiendo" a los negros que pululaban en la polvosa. En cierta ocasión, uno de ellos, un tuerto con parche en el ojo, me noqueó por ocho dólares y al día siguiente un grupo de "la mara" lo golpeó tan salvajemente en retribución, que no volvió a aparecer en el lugar por varios meses. Otras veces fue al revés, y a veces intervenían hasta "gringos".

"Mareña" se llamaba a un salvadoreño de apellido Artola. Era el "portero" de una triste construcción de madera frente a la polvosa donde todas las noches se jugaban miles de dólares en dados y cartas y donde se vendía también crack. Había salido de las guerras de su país. Yo solía ir a la casa de madera unas dos o tres noches a la semana porque los ganadores del juego solían sentirse generosos... Era, además, un lugar abrigador en el invierno. Una noche llegó allí un gringo a comprar piedra. Ahora bien, nadie le vende a extraños, así que el gringo debió haber llegado allí acompañado de algún conocido. Mareña, viéndolo "gringo", cogió su dinero y en vez de crack le vendió... trocitos de jabón... El hombre regresó al cabo de media hora con una pistola y lo mató de cuatro tiros.

A mí me asaltaron en la calle dos veces con pistola y tres con cuchillo. Y nunca me pasó nada. ¿Por qué? Porque Dios es grande... Porque siempre en la calle estuve en la calma más absoluta. Quizás también porque había aprendido a defenderme... y mi defensa ante las armas, salvo en una ocasión, fue la de rendirme automáticamente. Una vez, no sé por qué, se me metió la de pelear y muy para mi sorpresa mantuve a raya a un contrincante con cuchillo. Aprendí así en la madurez lo que nunca aprendí de joven, a defender mi integridad física, cuerpo a cuerpo. Me convertí en un mañoso. Peleaba con todo y aun así me daban duro.

En la calle no hay lugar para cobardía física. Eventualmente me hice respetar y me dejaron en paz. Lo curioso es que para hacer respetar su integridad física, uno no necesita ganar. Tiene sencillamente que mostrar dignidad y eventualmente esa dignidad le gana a uno el respeto físico.

"El Amanecer." Así se llamaba un restaurante en la esquina de las calles Park Road y 14. Era un restaurante salvadoreño, frecuentado por "la mara". La mara es un nombre genérico aplicado a una mafia informal de jóvenes y adultos salvadoreños, donde no hay uno sino muchos grupos unidos por un "salvadoreñismo" común en tierra extranjera. La mara controla el crack en las zonas hispanas en Washington, Maryland y Virginia. También cumple otra función. Aplica y hace respetar la ley de la selva...

Una de las tragedias del estatus "ilegal" que Washington confiere a buena parte de la población hispana de la capital es que ésta no tiene recurso a amparo legal. En su ausencia es la mara la que actúa como protectora de su comunidad y lo hace a carta cabal. Las pandillas no hispanas, las llamadas "crews", no se meten a los barrios hispanos por la presencia de la mara. Es un servicio que presta la mara a su comunidad, a cambio del cual su comunidad se hace de la vista gorda a sus negocios con el crack.

Frente a "El Amanecer" hay una iglesia y junto a ella dos edificios donde la mara vende crack todas y cada una de las noches del año. Son edificios de muerte... Allí viven apiñados en cada departamento grupos y familias de salvadoreños de muy escasos recursos. Durante el día se ven como cualquier otro edificio de departamentos. Por las noches, los residentes atrancaban las puertas y sus pasillos y escaleras se convertían en un supermercado de crack. La droga la guardaban los vendedores en los casilleros de correo. El acceso al edificio lo controlaba un portero que estaba allí no para negar, sino más bien para facilitar el acceso de compradores "legítimos"... Que el portero fuese un policía de la ciudad fuera de servicio no era de extrañar. El mismo alcalde de Washington, Marion Barry, había sido un adicto a la droga. La primera vez que lo vi noté que algo andaba radicalmente mal con el hombre...

En esos edificios de la muerte traficaba Kilmer, un jovencito salvadoreño. Lo mataron en la calle Columbia. En los edificios mataron a Vicente, también de cuatro balazos como a Mareña. A Vicente lo mataron en el elevador. En su entrada balearon a Santiago y acuchillaron a Óscar. La novia de Lázaro fue asesinada allí a cuchilladas, etc. ...y lo increíble es que la actividad ¡continuaba! Los restaurantes cercanos tuvieron finalmente que cerrar. El Amanecer cerró después de que Enrique López matara allí a otro...

por lo mismo, siempre por lo mismo. Las Rocas (hablar de nombres irónicos) cerró después de que Óscar Salguero matara allí a Noel Correas y a José Molina… etc., etc. Y el "negocio" sigue a pesar de todo.

En los pasillos de los edificios parecía vivir un puñado de prostitutas de crack que como novias de Drácula cambiaban sus servicios por una chupadita de la pipa de los clientes… Yo era conocido en esos edificios. La gente me respetaba. Entré a ellos una vez tratando de salvarle la vida a un "gringo" que había ido en busca de piedra… Lo iban a acuchillar. Lo convencí de que se dejara robar y convencí a los atacantes de que me dejaran sacarlo. Salió hasta sin zapatos, en el invierno. El hombre hablaba español. Era uno de esos que se sienten inferiores entre los suyos y salen a sentirse bien entre aquellos a quienes creen inferiores. Volvió a los edificios repetidamente, tanto que me cansé de salvarlo… Tiempo después, cuando yo ya había abandonado la calle, volví a Washington y me lo encontré nuevamente, todavía borracho, buscando ser igual entre aquellos a quienes trataba con condescendencia…

En mi cuartito en el cuarto piso del palacio vivían también Stan, un ex convicto de Chicago, y Pachuco, un ladrón mexicano… ambos de buen corazón. Guajiro, Danny, Armando y otros más se instalaban a un costado de mi cuarto. En una esquina del mismo piso se instaló un grupo de jóvenes salvadoreños que salía todas las mañanas en busca de trabajo. Abajo, en el tercer piso, habitaba un grupo de caribeños muy adictos al crack. Financiaban su droga rompiendo y vendiendo poco a poco el techo de cobre que antiguamente había recubierto partes del edificio. En un rincón del segundo piso solía dormir Venezuela. Era un ladrón consumado. Un día se apareció con una computadora portátil de las que valen más de dos mil dólares. Fue cambiada por sesenta dólares en crack. Julito y otros marielitos ocupaban lo que había sido la sala central del piso en que vivía Venezuela. En el primero estaba instalado Joseph como rey, con cama y todo. Sandrita y las mujeres solían quedarse en el cuarto de último recurso, en el quinto piso, a donde para llegar había que pisar entre huecos y vigas a punto de caer.

Para los visitantes, gente que llegaba con regularidad en busca de conversación y descanso, había un cuartito "especial" de huéspedes.

Un día, en el verano del 95, fui a la Organización de Estados Americanos a ver si lograba sacar algún dinero de mis conocidos en el lugar. Llegué por coincidencia en el día en que se celebraba una reunión de emergencia por la guerra entre Perú y Ecuador. En el patio interior, lleno de equipos de televisión, las cadenas en español transmitían en vivo los detalles de la reunión. Estaban NBC en español, CNN, Telemundo, Univisión, canales de Perú y Ecuador, etc. Y nadie tenía tiempo de pensar. Todos andaban enloquecidos, los periodistas preocupadísimos por no perder el último detalle de lo que acontecía, los sonidistas porque a cada momento tenían que cambiar sus conexiones y equipos, los camarógrafos por los ángulos de luz, por las posiciones que ocupaban, etc. Y me di cuenta que así había vivido yo. Había estado tan metido en el acontecer diario, en la diaria carrera en la que nos metemos todos desde que nos levantamos hasta que nos acostamos, que muy pocas veces había podido remontarme a la altura suficiente para realmente ver lo que estaba haciendo.

He regresado varias veces a mi palacio.

Allí por dentro, en algún resquicio de mi mente, cabía la certeza de que mi estadía en la calle acabaría en algún momento... pero no quería pensar en ello. Muchas personas, grupos, iglesias, se dieron a la tarea de "salvarme". Me era difícil aceptarlos porque yo ya estaba, casualmente... salvándome. Y no es que lo pensara así. Es que lo sentía así. Empezaba a sentir una paz que no quería dejar.

Era difícil darles explicaciones a los grupos religiosos porque me era difícil dármelas a mí mismo. No era cuestión de pensar, era cosa de sentir...

185

¿Cómo explicar a otros que la aceptación de uno, incluso con todos sus defectos, es vital?

¿Cómo decir que hay que abrazar valientemente el pecado de cada uno y echárselo a la espalda como una cruz personal para allí, sobre esa cruz, morir a esa vida y alzarse a una nueva?

En mi caso y el de mis compañeros del palacio la cruz fue de droga y alcohol. Abrazar mi cruz sin rechazo y cargarla fue el principio de mi cambio personal. La aceptación está al inicio del cambio en verdad, del verdadero cambio en el rumbo del ser.

El rechazo sólo lleva a la creación de una ficción digerible a nuestras personas y a los demás. Todo esto no se lo podía decir a nadie porque no me lo podía decir a mí mismo. Era sólo un sentir... que poco a poco afloró en palabras, y cuando eso ocurrió terminó mi vida en la calle.

No había semana en que no me cayese algún predicador, algún grupo bien intencionado exigiendo de mí un cambio que implicaba rechazo.

La única ayuda real me la dieron personas que se cuentan con los dedos de una sola mano y que nunca pidieron nada ni de mí ni de otros.

Julia Tomayquispe era una joven peruana que llegó a Washington alrededor del mismo tiempo en que lo hice yo, en 1980-1981. Era una bella indígena peruana, muy hábil y llena de amor. Había sido traída a Washington como empleada de uno de los agregados militares del Perú y fue muy maltratada por sus empleadores. En el mundo de las embajadas latinoamericanas es casi de rigor traerse a sus empleadas a Estados Unidos y muchos las tratan como una pieza más de su equipaje diplomático... con muy poca diplomacia.

Las pobres trabajan día y noche, son mal pagadas y muchas veces maltratadas. Cuando se quejan, sus patrones simplemente las ponen en un avión de regreso a donde quiera que sea. Ése había sido el caso de Julia, excepto que en vez de esperar pacientemente a que la devolvieran a Lima, Julia se escapó de su empleador y se puso a buscar trabajo como empleada. La acción que Julia tomó demandó mucha valentía de su parte. No sabía inglés. Sus empleadores le retirarían su auspicio para la visa al irse de su casa. Y, más aún, no conocía a nadie en Washington.

En el año 81, cuando SIN me transfirió a Washington, yo alquilé un pisito en las afueras del barrio latino, curiosamente a dos cuadras de donde estaría mi futuro palacio de los filósofos. Había llegado solo, no tenía tiempo para nada. El alcohol y la mariguana no me permitían mantener mi piso de manera muy decente que digamos... y me puse a buscar una empleada a tiempo parcial. María Estela, una compañera de trabajo, me recomendó a Julia y la contraté. Limpiaba bien. Cocinaba riquísimo. Estaba llena de alegría... y era de mi país de origen. Nos llevamos muy bien.

Un día, Julia, que luchaba con el inglés, le pidió direcciones en su inglés roto y fraccionado a un "gringo" que se esforzó por entenderla y responder lo que esa "gringa" le preguntaba... El "gringo" era Tomás Cuesta, un marielito de tez oscura que también acababa de llegar a Washington y sabía tan poco inglés que creyó que Julia era "gringa". Los dos "gringos" acabaron casándose. Yo fui padrino de bautizo de su hija mayor, Flor Ángel Cuesta Tomayquispe. En fin, los años pasaron y nos distanciamos. Mi ocupación, la arrogancia de mi mundo, muchas fueron las cosas que crearon distancia entre nosotros...

Muchos años después, cuando yo vivía en la calle, Julia y Tomás me buscaron y me llevaron a su hogar. Querían protegerme, darme cariño, calor humano, quitarme del frío que quiebra la espalda y entumece el corazón... y no pedían nada a cambio, ni siquiera que dejase de usar drogas. Tuvieron la grandeza de alma de llevarme sin miedo a compartir su hogar con Flor Ángel y Tomasito, sus dos hijos. Tomás trabajaba en dos empleos, uno de ellos —el principal— de limpiador en la Universidad Johns Hopkins. Julia me sorprendió. Trabajaba de tiempo completo como asistente social para el sistema de escuelas públicas de Washington... y entre ambos habían comprado una casita. Quedaba en uno de los barrios más pobres de la ciudad, había estado abandonada y clausurada por mucho tiempo, pero era suya y había sido reparada y equipada con amor. Era la mejor de la cuadra. En la parte de atrás tenía estacionado un también abandonado y antiguo automóvil que Tomás había comprado con 500 dólares con la esperanza de algún día "recordarse" cómo se maneja... el problema era que el carro necesitaba muchas reparaciones y además no hubo hasta mi retorno a sus vidas alguien que les "recordase" como manejar. Tomasito y Flor Ángel iban a la escuela.

Un día, Julia y Tomás escucharon de mi situación en una radio latina y salieron a buscarme. Cuando me encontraron insistieron en llevarme a su pequeña casita... así de grande era su corazón. No hubo cómo decirles que no y pasé las noches de enero del 95 en el suelo de su salita y los días en la calle. Eventualmente se convencieron de que la calle me jalaba y me dejaron ir, pero siempre agradeceré su amor en un mundo frío y el hecho de que no pidiesen nada de mí... Eso me permitió responder a su amor y crecer un poco en él.

Pepito Carreño, el periodista, fue el siguiente en acudir a mí. Lo quiero mucho, con ese cariño que sólo se guarda para quien lo trató a uno como igual cuando todo el resto lo rechazaba. Me ayudó en lo que yo le pedí sin preguntar ni por qué ni para qué... Fue el único del gremio tan criticón al que pertenezco que me aceptó sin crítica alguna hasta que el 26 de diciembre de 1995 llegaron dos personajes de mi pasado a buscarme en la Columbia Road.

Allá por los años ochenta, la CIA tenía una presencia muy fuerte en la América Central. El comunismo se combatía muy cerca de casa y no todo lo que se hacía para combatirlo se hacía abiertamente. Tal era el caso de los vuelos de reconocimiento sobre Nicaragua. No se hacían abiertamente.

Los años cincuenta tuvieron el U-2 de Francis Gary Powers caído sobre la Unión Soviética. Los ochenta tuvieron en Nicaragua a Eugene Hasenfus, derribado por un "flechero" del Ejército Popular Sandinista. Los otros tripulantes de su avión perdieron la vida en el incidente, pero Hasenfus fue capturado vivo. Su juicio se convirtió en causa célebre. Los sandinistas lo utilizaron como vehículo para demostrarle al mundo la justicia de su causa y la agresión de que eran víctimas. En público la CIA negó su paternidad del vuelo de Hasenfus.

Recuerdo haber estado en Managua cuando la comandante Dora María Téllez, marchando por la calle, llevó los ataúdes de los compañeros de Hasenfus a las puertas de la embajada de Estados Unidos. Los depositó allí. No hay mejor propaganda que unos muertitos... a no ser que sean unos muertitos y un sobreviviente... A Hasenfus pensé que se le podía adscribir lo que en la serie "Misión Imposible" se le dice al personaje central: "De ser capturado vivo el secretario negara todo conocimiento de su persona". Hasenfus había quedado así, huérfano de todo reconocimiento oficial. Nadie reclamaba la paternidad de su empresa.

El caso Hasenfus fue causa célebre. Los sandinistas quisieron utilizarlo para desenmascarar a la contra, para demostrar que era hija de la CIA, algo completamente innecesario. Demostrar la paternidad de la CIA era como esforzarse por demostrar que el agua es mojada... un ejercicio totalmente inútil que concitó la atención de la prensa internacional. Allí estuve yo, sentado en palco real.

Los últimos días del juicio a Hasenfus coincidieron con un doble desastre: un terremoto en San Salvador y otro en Univisión. En el terremoto de Univisión, la planilla de camarógrafos había quedado despoblada por la renuncia masiva que se dio en protesta por la llegada anunciada de Jacobo Zabludovsky como futuro director de noticias... y debido a la escasez de camarógrafos me llevé a Managua al camarógrafo local de Univisión en San Salvador, Guillermo Torres, y a su asistente, Wilfredo.

Cuando ocurrió el terremoto de San Salvador nuestro corresponsal en esa ciudad, Pedro Sevcec, se había quedado sin camarógrafo: lo tenía yo en Managua y no lo solté. Cuando días después terminé mi trabajo en Managua y volví a Estados Unidos, pasé primero por San Salvador a dejar allí a mi equipo de cámara. En el aeropuerto de San Salvador esperaba Pedro Sevcec. En fin, ésa había sido la primera y última vez que había visto a Sevcec.

El 26 de diciembre de 1995 volví a ver a Pedro Sevcec. No lo había visto desde aquella ocasión en San Salvador. Pedrito llegaba a Washington con una doble misión: efectuar el "rescate" de Descalzi y hacerlo en un episodio para su programa "Sevcec" de la cadena Telemundo. Pedro llegaba a Washington con dudas...

El 26 de diciembre amaneció para mí como uno de tantos días que llegaron sin que yo hubiese dormido un solo instante. En la calle hacía un frío impresionante. Mi prioridad esa mañana fue conseguir mi botella de Velikoff y un café bien caliente para mezclarlos y darme así un "levantón".

Por alguna inexplicable razón, yo estaba convencido de que en esa mañana empezaba el final de mi peregrinación por la calle. Era una mañana que yo esperaba. Semanas antes, unos ex compañeros de trabajo se habían acercado a mí para echar aceite sobre las aguas y habían intimado que Pedro vendría a buscar una entrevista conmigo "después de navidad".

El final fue un final casi anticlimático, dulce-amargo. Pedro Sevcec y Malule González, la productora ejecutiva de su programa, esperaban en la cafetería de la Columbia Road llamada Avignon Freres. Yo acababa de terminar mi vodka con café cuando el Guajiro me encontró para comunicarme que en Avignon Freres me esperaban Pedro y Malule. No sé por qué, pero recuerdo que el encuentro inicial casi acaba en el fracaso. Sentado en la cafetería de la Columbia, alguna palabra o algún recuerdo del pasado produjo una súbita elevación en el tono de voz... pero las cosas se aquietaron rápidamente. Mi peregrinación callejera había limado las suficientes asperezas en mi alma para permitirme un alto en el camino al precipicio.

The rest, como dicen en inglés, the rest was easy: el resto fue fácil.

Grabamos un segmento para el programa de Pedro en mi cuarto del cuarto piso del palacio de los filósofos. La temperatura era 32 grados Fahrenheit, cero centígrados. Para mí era de lo más normal. Recuerdo que Malule se la pasó muerta de frío y Pedro, no sé, pero me imagino que también. Stan y Guajiro estuvieron allí. En medio de la grabación llegó Medio Pedo a fumar crack en el cuarto...

Durante esa grabación vocalicé mucho de lo que habíamos conversado en el palacio con los demás compañeros y cuando Pedro me preguntó si estaba dispuesto a ir a una rehabilitación, dije inequívocamente, con una mano sobre la Biblia que nunca me faltó, que sí, iría.

Me dio 150 dólares para "mis gastos" y los muchachos y yo nos dedicamos a fumar como condenados toda esa noche hasta que al día siguiente llegaron Pedro y Malule a recogerme. Fuimos al hotel de Pedro. Entre hecho... qué les digo, imagínense ustedes cómo me encontraba. Creo que no me había bañado en el último año, tenía cinco capas de ropa encima... "etc., etc.", como dijo Yul Brynner en la película *El rey y yo*. En el hotel me di un baño hasta que llegó la hora de ir al aeropuerto.

Ah... Esa noche lloré. Ay, sí lloré.

El avión a Miami fue en primera. A la azafata le dije que tenía una "emergencia alcohólica" y se la pasó dándome todo el trago que pedí. Descendimos en Miami y recuerdo que en el restaurante del aeropuerto, mientras esperábamos el vehículo que venía a recogernos, pedí un "mixto caliente" (pan con jamón y queso). De pronto, allí se me salieron las lágrimas cuando me di cuenta que era la primera vez en dos años que gastaba dinero en comida...

Fuimos esa misma noche a Boca Ratón, Florida, a un lugar llamado el National Recovery Institute, otro de esos muy recomendables y buenos centros de rehabilitación. Me "becaron" por un mes en que me debí haber comido toda la cocina.

Sería fácil decir que "desde que salí de allí no he dejado de correr"... Pero en mi caso, dada mi historia, lo que he hecho es precisamente lo contrario: quedarme en mi sitio. Y en él estoy. No he dejado de estar en donde estoy.

8

Han pasado varios años desde ese entonces y la vida vuelve a florecer alrededor mío. Han vuelto las oscuras golondrinas, esas del poema de Gustavo Adolfo Bécquer, y en mi caso han vuelto las mismas que adornaron mi balcón.

Cómo decir que vuelven los aromas, que se empieza nuevamente a florecer... Así pasa. A veces estoy sentado y huele... a primavera...

Es curioso ver cómo han caído las capas de dureza que se habían formado sobre mí, cómo poco a poco han ido retornando a mí sensaciones del ayer, tan perdidas que las había olvidado casi por completo. Pero en algún rincón de mi ser habrían quedado porque las he recordado. Voy gradualmente descubriendo momentos de luz dentro de esos años en que mi memoria perdida se rodeaba sólo de oscuridad.

Tan pronto salí del centro de tratamiento en Boca Ratón mi antiguo amigo, Enrique Gratas, me ofreció trabajo en su programa "Ocurrió Así". Lo quiero tanto. Fue él quien me devolvió la profesión. Pocos como él con el valor de darme la mano tan públicamente. Sí, muchos otros me dijeron "recuerda, para eso estamos los amigos". Son los mismos que en la soledad de la calle me negaron. No vale la aceptación de palabra. Tiene que ser real. Un hecho vale por mil palabras. *A friend in need is a friend in deed.*

Esos primeros meses de mi "regreso" los viví como en las nubes. Todo estaba teñido por colores de alegría. Mi temerosa persona había desaparecido para dejar en su lugar a un ser seguro y ansioso de vivir. Volví literalmente a vivir la alegría de la infancia.

Me había vuelto "aceptable". Tanto que muchos personajes de toda la América Latina en esos días me recordaron que "eran mis amigos", que "para eso estaban allí". Recuerdo haber llamado a esos "amigos" en varias ocasiones, pidiéndoles unos dólares por teléfono. Pero su amistad en esos momentos no fue tan fuerte como para que me dieran la ayuda pedida. Ah, pero los actos de apoyo como los de Enrique, Malule, Pepe, Julia...

Un pintor pintó un óleo sobre mi experiencia. Un músico imprimió un CD con una pieza instrumental titulada "Descalzzi" (con doble z). Varias revistas escribieron artículos de fondo sobre mi persona y he estado en la portada de una revista internacional, *Newsweek*. Diversas personas me han enviado poemas alusivos a mi vida... En fin, me he quedado completamente... debiera decir que sorprendido, pero no, no es sorpresa lo que todo esto me produjo... y aquí les hablo a otros que como yo contemplen emprender el camino del regreso. No tengan miedo: el mundo está ansioso de ustedes. Está ansioso. Y tan pronto vean sus barcas aparecer en el horizonte se van a acercar a darles la mano.

Les va a ustedes este poema, parafraseado, de César Vallejo:

Al fin de la batalla y muerto el combatiente,
Acercósele un hombre y díjole:
"Levántate hermano, no te mueras..."
Pero el cadáver, ¡ay!,
siguió muriendo.

Se le acercó otro y le dijo:
"Levántate hermano, no te mueras",
Pero el cadáver, ¡ay!,
Siguió muriendo.

Se le acercaron tres, cuatro, cinco,
Muchos más a decirle...

"No te mueras hermano, regresa..."
Pero el cadáver, ¡ay!,
Siguió muriendo.

Se le acercó entonces la humanidad entera
Diciéndole:
"Levántate hermano, no te mueras".
Y el cadáver se levantó,
Se echó su carga al hombro
Y se puso a andar.

Parafraseo así este poema de César Vallejo porque se adapta a mi experiencia. He sentido el calor de la humanidad. Me he sentido envuelto en tanto amor y por tantas personas que podría decirse que no me ha quedado otra que alzar la cara y echarme nuevamente a andar.

A los pocos días de mi regreso se organizó en Miami una cena de apoyo en un tradicional restaurante de la ciudad, "Los Violines". Se llenó. El restaurante estuvo repleto. Vinieron artistas de distintos lugares a homenajearme... como si me lo hubiera merecido. Y es que en realidad sí, me lo merecí en ese momento porque, saben, volver no es fácil. Hay que amarrarse como Ulises al mástil y rechazar el canto de las sirenas que nos llaman a la destrucción. En todo caso, merecido o no, el homenaje fue para mí uno de esos llamados claros de la humanidad a la resurrección del cadáver. Un llamado claro y un llamado fuerte que acalla el clamor de las sirenas.

El canto de la sirena llegó una vez a mí tras mi regreso, una vez y nada más. Fue a las dos semanas de salir del instituto en Boca Ratón. Volví de visita a Washington y me encontré con mis amigos de la calle. Me ofrecieron un trago y no tuve el valor para decirles que no. Empecé a beber con ellos y sin darme cuenta estuve nuevamente fumando crack. Me pasé tres días con ellos en total estado de abandono, y me asusté tanto pero tanto con esa recaída que quedé ¡curado por espanto! ¡La recaída me sirvió! Me sirvió. Nunca más en nombre de la amistad ni en nombre del cariño que les tengo he vuelto a compartir con mis amigos de la calle, a pesar de que los visito invariablemente cada vez que regreso a Washington. Y otra palabra a los que estén en el camino del retorno: No tengan jamás tanta vergüenza de sus caídas que no se vuelvan a levantar. Al contrario, hay que hacer como Cristo que cayó varias veces cargando su cruz... ¡cuál habrá sido su cruz y cuáles sus recaídas!... y se volvió a parar para seguir cargándola hasta renacer sobre ella. Por eso, a pesar de que suene a blasfemia, digo yo: "Drogadicto por gracia de Dios", porque ésa fue mi cruz y sobre ella renací. Su cruz abrácenla y acéptenla. Sólo con la aceptación de su verdad, por dolorosa y fea que ésta sea, se llega a renacer.

En fin, ésa fue mi última recaída, "por amistad". No, la amistad nunca más me ha llevado a beber de esa copa. Al contrario. Me llaman por teléfono y me vienen a ver a menudo personas en busca de consejo.

No soy nadie y no soy el camino. Soy seguidor en un camino muy antiguo. Para esos que llaman y me buscan les escribo este libro, para indicarles el camino: que su cruz ya la tienen... que sólo les resta aceptarla y cargarla.

El camino está flanqueado en sus dos lados por verdad y amor, que son vida. Sólo por ese camino se llega a puerto seguro. No hay otro.

Me he rodeado de amor, de un amor tan público en esta mi profesión tan pública... Y es que estoy siendo de verdad. El amor responde a la verdad, la verdad responde al amor. Náufragos en alta mar: empiecen por la verdad. Les responderá el amor y su canto acallará el llamado de la sirena.

El mundo ha cambiado de color para mí. Sí, es color de rosa.

Conocí a Rosa a principios de febrero del 96. Fue una de las tantas personas que acudieron a buscarme en esos primeros días de mi regreso. Fue a la oficina de "Ocurrió Así" y la conocí allí. Fue impulsada por no sé realmente qué, pero yo elijo creer que fue por amor y por verdad.

Me están pasando tantas cosas bellas... Ahora, por otro lado, es que quizás yo me haya llenado de belleza. Ya conocen ese dicho de que todo depende del cristal por el que uno mira. Yo lo transformo a decir que todos iluminamos nuestro camino con la luz de nuestro interior. Si nuestro interior es lúgubre y tenebroso, la luz que salga de nuestros ojos cubrirá todo de un fulgor lúgubre y tenebroso. Si nuestro interior está en paz, si vivimos en paz, todo lo que encontremos a nuestro alrededor será recubierto por esa paz, no importa cómo es que el mundo llegue a nosotros.

Rosita fue una de las primeras cosas bellas que me ocurrieron... Rosita... no buscaba poseerme, por eso la amo: porque no pretendió poseerme... y en esas circunstancias pude volver a amar sin temor a ese frenesí de escualo que busca desgarrar para sí todo lo que pueda de la vida. Sí, porque al regresar son muchos los cambios a los que uno tiene que acostumbrarse. Y uno de ellos es el volver al amor. Rosa no buscó poseer, y por eso dio cabida nuevamente al amor. He tenido la suerte de encontrar una Rosa de paciencia y paz a mi regreso.

Empecé a trabajar en "Ocurrió Así". Poco a poco fui aumentando de peso, me fui acostumbrando a una rutina y comencé a darme cuenta de que yo era objeto de cariño público. Me pasaron muchas cosas, algunas de ellas de dar risa.

Por donde quiera que vaya la gente me saluda, me felicita, me hace la señal de victoria con sus manos. Paran los automóviles, bajan sus ventanas, me dan gritos. A las pocas semanas de mi regreso, "Ocurrió Así" me mandó primero a San Francisco y luego a Nueva York. En San Francisco, un autobús municipal paró en medio de la calle Misión y el chofer sacó la cara por la ventana para saludarme, parando todo el tráfico. En Nueva York, una mujer dejó su carro en medio de la calle durante una luz roja y se bajó a saludarme. Ah, pero lo más chistoso me sucedió en un restaurante —"La Carreta"— en Miami.

"Venezuela", mi amigo drogadicto de las calles de Washington, acababa de llegar a Miami. Yo le había prometido ayudarlo cuando sintiese la necesidad de "volver". Rosita y yo lo recogimos de no sé qué dirección que me dio al llegar a la ciudad y nos fuimos a desayunar a "La Carreta". Me he acostumbrado a tomar el café cubano por las mañanas. Estando allí fui al baño a orinar y estaba en medio de esa tarea cuando entró un hombre que al verme... se arrodilló junto a mí... ¡mientras yo orinaba!... y me dijo cuánto había significado para él, que él había sido otro drogadicto, etc. Estaba en eso cuando entró otro hombre que ve... lo que vio... ¡Qué habrá pensado! Dijo: "Oh, lo siento", y salió corriendo...

Viajo muy a menudo. Hago el mismo trabajo que hacía antes pero con una conciencia diferente. Ya no ando todo nervioso porque yo ya no importo. Hago mi trabajo sin conciencia de mí mismo, sin ser centro de lo que "me" acontece porque no "me" acontece nada. Sencillamente acontece. En esta nueva circunstancia me relaciono con calma con el mundo porque éste ha dejado de pesar sobre mí. He abandonado el papel de Hércules.

A menudo me invitan a dar charlas en público. Varios grupos de alcohólicos me han llamado a que les hable en ciudades tan distintas como México y Chicago. La asociación de profesionales de salud mental me llevó a hablarle en Los Ángeles. Me han invitado de universidades y escuelas.

Lo más curioso es que tomo todo esto sin que se me vaya a la cabeza. Lo veo, sí, como algo natural... ¿Qué curioso, no?, los cambios que da la vida. Y profesionalmente he vuelto a los lugares en los que estuve antes.

Cada vez que vuelvo a Washington se reafirma en mí la determinación de seguir en la luz de Dios. Porque ésa es una de las pocas elecciones que podemos hacer con claridad: colocarnos en su luz, y para eso es tan sólo necesario abrir las compuertas: verdad y amor en nuestras vidas... y se derramara Su luz sobre nosotros. Y es que hay tanta falta de ella.

El Cojo... que en paz descanse. Murió. Me enteré de ello la última vez que estuve en Washington. Alguien lo acuchilló en su silla de ruedas por robarle unos pesos mientras volvía al albergue donde se hospedaba. Se llama, paradójicamente, CCNV, Center for Creative Non Violence. "Centro para una no-violencia creativa." Recuerdo nuestras conversaciones en el palacio, cuando Steve, el Cojo, Joe, Stan, Chris, Sandra, Dos Colones y Medio Pedo discutían sobre las mil y una cosas que veíamos a nuestro alrededor.

Y allí va, algo de lo que discutíamos... Una Conversación en palacio.

Conversación en palacio: Los lados de Dios
Las guías del ser y la persona

Poder, Posición y Posesión, aquello por lo cual nos esforzamos en el diario vivir, aquello cuyo logro y manutención orienta la actividad diaria de nuestras vidas... suelen ser instrumento no sólo de orientación sino también de confusión.

Creemos que teniéndolos estaremos bien. Que como estamos bien somos buenos. Que porque somos "buenos" tenemos autoridad. Que porque tenemos autoridad tenemos derecho... etcétera.

El logro de las tres "P", Poder, Posición y Posesión, sirve de guía para nuestra actividad diaria y por eso, porque orientan la actividad diaria, su búsqueda suele darle "sentido" a nuestro diario vivir.

La fama, la influencia, el dinero, etc., se convierten así en el "sentido" de nuestras vidas. Pero éste es un sentido... sin sentido. Es un sentido hueco. Las tres P's no orientan para nada.

Como orientadores de la vida, a pesar de ejercer esa función de facto, la posición, el poder, las posesiones, el dinero, la fama y prestigio, la influencia, la "felicidad", incluso la familia y la salud misma, de poco sirven. Porque no tienen orientación propia. Son falsos orientadores. Esto no quiere decir que sean inservibles. El error está en dejarlos orientar nuestras vidas, nuestra actividad cotidiana. Y eso es lo que solemos hacer en casi 100% de los casos.

Sirven sólo si se encuentran y son utilizados en verdad y en amor, sólo si dejan de ser objetivos de la actividad y encuentran su papel correcto como instrumentos de la vida y no objetivos de ella.

Los verdaderos orientadores de la vida son dos y nada más que dos: la verdad y el amor.

Todo el resto no es nada en lo que se refiere al sentido de la existencia. Con nada más se encuentra el sentido de nuestras vidas. Nada más que la verdad y el amor pueden y deben ser el imán de atracción que nos mueva de día en día... a pesar de que para la mayoría y en la gran mayoría de los casos no es así.

La mayoría somos manejados por los instrumentos de la vida: por la fama, el poder, el dinero, etc. Y dejamos de lado a los orientadores: el amor y la verdad.

Cuando los instrumentos funcionan como orientadores de la vida diaria, acaban distorsionándola totalmente. Para servir correctamente tienen que subordinarse. No deben manejar sino ser manejados. No deben atraer sino sostener. Tienen que adquirir un sentido ajeno a sí mismos porque en sí mismos estos orientadores diarios carecen de sentido. Los únicos que dan sentido son la verdad y el amor.

En prácticamente 100% de los casos si se le pregunta a alguien por qué o para qué vive, responderá que es... "para ser feliz", "para mis hijos", etc. Si son sinceros dirán que es "para tener dinero", o "para tener fama", "poder", "influencia", etcétera.

Se pierde de vista el propósito mismo de la existencia. ¿Para qué existimos? ¿Cuál es el propósito de la existencia?

Lo fundamental de la existencia es que existe. Eso, el existir es una característica que hace que la confundamos... ¡con Dios!: hace que la CONFUNDAMOS... con Dios, pero...

Dios Es.

La existencia No Es... Existe...

Hay similaridad, paralelismo. Una es a imagen y semejanza del Otro. Lo que llamamos nuestra vida, existe en imagen y semejanza de Dios... pero no es Dios. No es nuestro objetivo, no es nuestro origen, no es nuestro fundamento, no es nuestro orientador. NI

SIQUIERA NUESTRA VIDA MISMA puede tomarse como objetivo u orientador de nuestra existencia.

Algo obvio en la existencia es que transcurre. Viene de un lado. Va a... ¿otro?

La existencia nace en una explosión de ser. De esta explosión proviene el existir.

La explosión de ser que nos da inicio tiene lugar "en" la concentración total de Ser, el... "cielo"... Dios.

Existencia es transcurso. Transcurso es movimiento.

Toda la existencia se da en movimiento. De allí viene otra de sus características... Es efímera, muy efímera. En cualquier instante sólo es una mínima fracción de su totalidad.

Todo lo que existe transcurre. Lo que no transcurre no existe. No al menos en la "existencia", no en "esta" existencia.

Sólo hay transcurso en la existencia. Vida es posibilidad de transcurso, de cambio.

En la vida logramos... o sufrimos... el cambio.

Cambio y vida son casi sinónimos.

El cambio es posible porque se segmenta el ser en el transcurrir.

El transcurrir está en una trinidad ("viene de", "existe" y "va a"), es de la Trinidad.

Toda la existencia se da en la Trinidad.

La existencia *MIENTRAS EXISTE* es independiente. Tiene una independencia parcial, *MOMENTÁNEA,* de la Trinidad.

Es esta parcial independencia a la que llamamos "libertad". Por eso se dice que la existencia "es libre". Aunque no es independiente, depende de la Trinidad, depende de Dios.

Libertad e independencia son cosas diferentes. La libertad depende de su origen y su destino.

A ese trayecto entre origen y destino le llamamos... Sí, *destino.*

Somos libres... pero con un destino.

El que se cree independiente o que busca su independencia se sale del círculo de Dios.

Pierde... su destino.

Los corresponsables del destino son inicio y fin, Alfa y Omega. Llamémosles principio inicial y principio final.

Principio-existencia-fin se unen en uno.

Los principios inicial y final son los lados de Dios. Son la verdad y el amor.

"Yo soy la Verdad": Partimos de la verdad, pasamos por la existencia, llegamos al amor. O al menos, así debiera ser.

La existencia se da íntegramente en Dios.

La existencia es resultado de la unión de los principios inicial y final, el amor y la verdad de Dios. Esa unión es efectuada por un tercer principio, ubicado en el punto de unión del amor y la verdad. Ese principio —el tercer principio— es el "principio rector", principio "geográficamente" ubicado en la unión de los "otros" dos principios.

La creación se da como exhalación del principio rector en la unión de los principios inicial y final.

La existencia, para empezar, es creación del "principio rector". En la literatura bíblica se le llama "Dios Padre". El principio rector mezcla trocitos de los otros dos principios, el inicial y el final, para crear la existencia. Estos dos, el principio inicial y el principio final, son los "lados" del principio rector, los lados de Dios...

Uno de ellos es esencia. El otro es forma. Uno es activo, el otro pasivo. Uno es creativo, el otro receptivo. Uno es verdad, el otro es amor. Son atributos de los lados de Dios.

En la literatura cristiana a los lados de Dios se les llama hijo y espíritu santo. De su unión por parte del principio rector nace la existencia.

La característica principal del principio rector, que incluye a sus lados, es el SER.

El ser se da en la unión de Verdad y Amor. Todo lo que es... es verdadero. Si no, no es. Y el amor lo trae a la existencia. Existimos porque Dios ama.

La creación es una explosión de Verdad y Amor.

San Juan, capítulo uno, versículo uno: "En el principio era el verbo y el verbo estaba en Dios, y el verbo era Dios".

El verbo por excelencia es el SER. Dios ES... es todo. Dios es grande y es chico, es frío y es caliente, es ancho y es angosto. Dios abarca todos los rincones del ser. Dios es... EL VERBO.

La existencia es una "manera" de ser en amor y verdad. Sin amor, se pierde el ser. Sin verdad, se pierde el amor.

Si Dios es verbo, la existencia está destinada a ser... ADJETIVO, Su adjetivo.

Llamamos vida a una "manera" de existir en verdad y amor. Todo lo que existe tiene esencia (espíritu) y forma (cuerpo)... en distintas mezclas y proporciones. Lo "vivo" tiene más de lo uno y menos de lo otro. Lo "inerte" tiene más de lo otro y menos de lo uno.

No todo lo que existe tiene alma.

El género humano va más allá de lo meramente "vivo". Tiene alma.

En la trinidad de principios, el principio rector une trocitos de los otros dos y los mezcla, CREANDO la existencia. Luego se imprime ÉL MISMO sobre su creación. Agarra un trocito de la existencia (barro) y se imprime sobre él (aliento). La condición humana es el resultado de esta impresión.

Somos "alma, corazón y vida", alma, cuerpo y espíritu. Cuerpo y espíritu acarrean al alma, moldeándola. El carácter, la característica del alma, es forjado en la creación.

La creación es fragua de Dios.

Por eso se dice que en la existencia se da la lucha entre el bien y el mal.

En la condición humana se da la lucha entre el bien y el mal, entre la luz y la oscuridad. Somos, estamos destinados a ser, campo de batalla. Forja y fragua. Somos el "reino de en medio".

Esta característica de la condición humana le da a su existencia un grado de corresponsabilidad con los principios de la trinidad. Por eso tenemos libertad, pero no independencia. Trinidad y creación son codependientes.

En esa codependencia está lo que llamamos nuestra "libertad".

En virtud de esta correlación trinidad-creación se hace posible ahondar el grado de libertad de la que goza la existencia... o suprimirla.

La debida calidad en nuestro existir puede darle el carácter necesario a nuestra existencia para profundizar nuestra libertad... o para eliminarla. De allí que en la existencia nos ganemos el "cielo" o el "infierno".

Por eso se dice que las personas que han perdido su libertad se han vuelto estatuas... de sal o de piedra. Porque han perdido su libertad.

Ahora bien:

Dios, la "trinidad circular" donde inicio y fin se unen, no tiene, por "redondo", una base sobre la cual reposar. El verbo puro no tiene reposo... sino hasta después de la creación. El verbo puro se dispara por todos lados. Está en todo. Es simultáneo. Es "por igual"... hasta el momento en que en la creación se adjetiva, se da "carácter", se otorga una base de reposo, se "desiguala".

Por eso se dice que descanso después de la creación.

Dios se da a sí mismo "dirección" y "base de apoyo", "descanso".

Lo hace mediante la existencia. Le sirve de guía "orientadora" del "cometa divino". La existencia es SU "aventura". Es aventura de Dios... Y Dios "quiere" una "buena aventura".

Es una aventura con un elemento de incertidumbre —la libertad de la existencia— lo que la hace "real". La incertidumbre está en la libertad de la existencia. Pero... Dios después de todo es Dios y "maneja" nuestra libertad. Es una libertad dependiente, condicionada por el destino.

Todo lo que existe tiene un elemento de libertad por el solo hecho de existir. Es una libertad que se da dentro de los extremos principio y fin, una libertad condicionada a estos principios, una libertad "dependiente", fluctuante y potencial.

La calidad del existir (la medida de verdad y amor que tenga) produce "fluctuaciones" en el grado de libertad de la que goza lo que existe.

La calidad del existir servirá para ahondar o minimizar su propia libertad... para "petrificarse" o para "subir al cielo". Por eso se dice que en la existencia se da la lucha entre el bien y el mal, porque en virtud de ese elemento de incertidumbre, de esa libertad, podemos "subir" o "bajar"... Porque cuenta con libertad... puede ir "por aquí" ("¿bien?") o "por allí" ("¿mal?"). Vivimos entre el bien y el mal.

A la dirección de Dios, a la dirección que Dios adopte sobre la base de la existencia, a su postura, la llamamos su "carácter".

Esta existencia le da una "línea" al carácter de Dios.

No hay nada que nos lleve a concluir que ésta sea la única "existencia", que éste sea el único "universo", que estemos en la única "creación", que esta existencia sea la única fragua del carácter de Dios. ¿Cuál será el "carácter de Dios"? ¿Dónde se forjarán sus otras líneas?

La existencia es la fragua en la que la esencia y la forma moldean el alma... la adjetivan. Al fin de la existencia, al separarse nuevamente lo activo de lo pasivo, lo creativo de lo receptivo, AMBOS vuelven a los lados de la creación.

Y al final de la existencia la parte rectora de la vida, el alma, asiento de la verdad y el amor, se reúne nuevamente con el principio rector.

Por eso es importante vivir en verdad y amor. Para llegar al principio rector. Porque somos coartífices de nuestro propio destino. Porque de la calidad (en verdad y amor) de nuestro existir dependerá nuestro ser en libertad...

Las estrellas, las galaxias, el Universo son tremendas fraguas de los lados de Dios. Nuestra vida es fragua de su "tercer" lado.

Por eso es tan importante no sólo vivir "puramente", sino también "bellamente" y con "buen carácter".

La pureza (verdad) es importante al espíritu, a lo creativo.

La belleza (amor) es importante a la forma, a lo receptivo.

Y el carácter... (el encuentro de verdad y amor) es importante al principio rector. Por esto último, por la formación del carácter, es lo que el contenido emocional de la vida es tan importante.

Adjetivamos tanto el principio como el fin, los "dos" "lados" de Dios, y adjetivamos también su cúspide, el principio rector... En la vida hay que dirigirse tanto a la esencia como a la forma y a su punto de unión.

Por eso:

Es importante vivir con verdad, con amor. Con belleza y pureza.

En lo humano llamamos "espíritu" a la esencia, a su parte activa, creativa. Llamamos "alma" a su guía, a su parte rectora. Su parte formal es aquello a lo que llamamos la "persona". Incluye lo físico y lo mental.

El espíritu es aquello a lo que le llamamos el ser.

Lo físico y mental es aquello a lo que le llamamos persona.

El ser y la persona están unidos en cada individuo. Todo individuo tiene un ser y una persona.

Toda unión de ser y persona obedecen o deben obedecer a los propósitos del alma.

Cada uno de los principios impresos en la existencia tienen su propia función. El ser desempeña una función. La persona desempeña otra función. Y el alma tiene otra.

La unión del ser y la persona tienen como función el acarreo del alma.

Y, al fin de la existencia, el alma tiene como función acarrear verdad y amor: acarrea al ser y a la persona... Si es que éstas han vivido con verdad y amor. Porque el alma sólo acarrea verdad y amor. Cualquier otra cosa es... demasiado pesada para *subir*.

El individuo obedece —o debe obedecer— a las necesidades del alma.

Existe un error, al que se llama "original", en la usurpación de funciones. El error original se da como forma que usurpa a la esencia. Es una usurpación en la que la persona se convierte en rectora de su vida y domina al ser, se monta sobre el espíritu.

El error original es de desequilibrio. Es un desequilibrio producido por la usurpación de funciones.

Cuando cada "lado" desempeña su parte, cuando está "en su lugar", hay equilibrio... El alma florece. Se llena de amor y verdad.

Cuando un lado usurpa al otro... el alma sufre.

El principio rector, el alma, está en la unión de sus lados. Necesita descansar en sillas con las patitas bien balanceadas. Nuestro ser y nuestra persona deben llevar nuestra alma... con equilibrio.

Cuando no hay equilibrio, se llega hasta expulsar al alma. Sí, hay gente desalmada.

Al equilibrio le llamamos bien. Al desequilibrio le llamamos mal. El asiento del alma se vuelca con el desequilibrio.

Ahora bien:

Es por causa del elemento de incertidumbre, del grado de libertad o autodependencia que tiene todo lo que existe y más específicamente todo lo vivo, que se da el riesgo del error. Es una tendencia "natural", "original" al desequilibrio. Es por eso que se le llama "pecado original".

Es porque en la existencia la forma es evidente y la esencia no lo es, que HAY UNA TENDENCIA NATURAL A DARLE TODO A LA FORMA, porque en la existencia la forma es evidente y la esencia no.

Por eso es que la forma priva desde temprano en la existencia, y el sentido de una existencia correcta está en buscar el RESURGIMIENTO DE LA ESENCIA en busca del "equilibrio perdido".

Cuando se reencuentra el equilibrio, cuando ambas partes empiezan a cumplir su verdadero papel, allí es cuando se "renace".

La evidencia del desequilibrio se da en nuestro diario vivir. La forma llega a aparecer como el todo, ignora o expulsa a lo rector y esclaviza lo esencial. Error fatal. Se polariza la vida, se desequilibra. El polo sur pierde el norte.

La usurpación, ese penetrar de un lado en el campo del otro, es "conocer" en uno de sus sentidos bíblicos que lleva a decir que

Adán y Eva comieron del fruto del árbol del CONOCIMIENTO, del bien y del mal... Porque en el fondo ni el bien ni el mal son competencia ni de la persona ni del espíritu. De la persona es el amor. Del espíritu la verdad... Pero el bien y el mal son del alma.

La confusión no acaba allí. La polarización de funciones hace que se pierda la orientación. Al perderse uno de los polos, se pierde la orientación y al perderse la orientación se pierde el sentido "original" de la existencia. Se "pierde el paraíso".

Como resultado de esa pérdida las cosas adquieren muchas veces un sentido contrario al original. La vida entera se vuelve confusión... hasta que se logra nuevamente el equilibrio perdido, hasta que... SE NACE DE NUEVO, cuando se le devuelve el equilibrio al alma con el resurgir de la esencia.

El renacer, el volver al equilibrio es el punto de partida para una adjetivación correcta, el portal de entrada al camino de Dios, el inicio del camino.

En la confusión del sentido que acompaña a la polarización de funciones llegamos a creer que el conocer es de la esencia.

El conocer es de la forma, es externo.

El comprender es esencial.

El comprender es de la esencia y el conocer pertenece a lo formal.

Cuando el conocer se cree esencial... se cae en error original. Se ahonda el error cuando el conocer se instituye en juez del bien y del mal, porque entonces se usurpa la función del principio rector.

Se pierde totalmente el paraíso.

Pensamos esencial a la conciencia. Formal al sentimiento. Pero es al revés. La conciencia es formal. El sentimiento es esencial. Y deben regirse por el amor y la verdad. Cuando el sentimiento es regido por la conciencia se petrifica el amor...

Dar a cada cosa su lugar: buscar el equilibrio.

El alma vuelve a ocupar su lugar con el resurgir de lo esencial. El resurgir depende de cómo se existe, de la mezcla de amor y verdad con que vivamos, de la calidad escondida de nuestras vidas, no de su forma externa. Y tiene que darse el resurgir, no mediante conquista de lo esencial sino mediante abdicación de lo formal.

No existe victoria en la derrota del antagonista. Sólo existe en la unión con el antagonista. Lo que busca derrotar polariza. Ni Cristo buscó derrotar a Pilatos. Toda derrota implica polarización, pérdida de equilibrio. La única victoria real se logra en el amor de los antagonistas... es lograda sin derrotar... Es victoria total porque no hay derrotados. En el campo de batalla del destino no se puede pedir la derrota de la forma... Toda victoria de ese modo es pírrica. Ambas, la esencia y la forma, tienen que cumplir su función. Si la forma es derrotada, la esencia también muere. Se llega a Sansón y los filisteos. No hay que destruir la forma. La forma también tiene su lugar.

Una vida de calidad incorrecta lleva al enraizamiento de lo formal. Lleva a la petrificación.

Si vivimos cobardemente, con odio, en medio de la mentira, del temor, de la ansiedad, ésas son las características esenciales que imprimiremos en TANTO NUESTRO SER COMO NUESTRA PERSONA, y nuestra alma, que sólo puede llevar verdad y amor, no podrá acarrear ni a ese ser ni a esa persona más allá de la existencia.

Ése es el campo de batalla del bien y del mal. Como resultado de la confusión reinante en ese campo de batalla perdemos toda noción de orientación real, de verdad. Llamaremos bello a lo feo y feo a lo bello, cierto a lo falso y falso a lo cierto, etc. Nuestra guía será el artificio.

En cambio, si vivimos con verdad y amor, con belleza y pureza, viviremos guiados por Dios.

Si vivimos valerosamente, con amor, con verdad, con paz y tranquilidad, si nuestra ACTITUD es esa, ésas serán las características esenciales que nuestras vidas le donen al Principio Rector al final de nuestra existencia. Ése será nuestro regalo a Dios, nuestro regalo al SER. El que busca vivir con verdad y amor encuentra a Dios.

En nuestra vida también le regalaremos belleza o fealdad. Al SER le gusta la belleza. La belleza es armonía. Lo armónico es lo que ocupa su lugar, lo equilibrado, lo apropiado, lo que es lo que debe ser... lo que vive a imagen y semejanza de Dios...

Lo importante en la vida es vivir con verdad y amor, de manera que nos adjetivemos correctamente. No se puede adjetivar correctamente si no se logra primero el equilibrio, si no resurge la esencia, si no "vuelve" (renacer) el alma a su sitio. El camino de Dios empieza allí.

No es importante vivir con dinero, con fama, con poder, con influencia, etc. Nada de eso vale en lo que respecta al propósito de la existencia. Solamente sirven si contribuyen correctamente a la adjetivación de nuestro espíritu. Y OJO: Fama, poder, dinero, generalmente de poco sirven.

Hay un método sencillo para discriminar entre lo que debe o no debe constituir un propósito de la existencia y del diario vivir. Se encuentra en el antiguo dicho en latín, *Per aspera ad astra*: por el camino áspero a las estrellas.

Existe lo áspero... y existe lo fácil...

Todo lo que es normalmente considerado como "guía" u "objetivo" del diario vivir suele formar parte de lo FÁCIL.

LO FÁCIL generalmente no sólo no moldea, sino que suele moldear incorrectamente. El verdadero moldear del espíritu generalmente se consigue en la fragua de LO DIFÍCIL, de lo áspero.

Tanto LO FÁCIL como LO DIFÍCIL son regalos de Dios. Dios nos da dos tipos de regalos. Regalos de frente, "fáciles", y regalos al revés, "difíciles".

El propósito de los regalos es ayudar a la adjetivación de nuestras vidas. Los regalos de frente, los "fáciles", son aquellos considerados bienes. Por ejemplo: dinero, fama, poder, una buena familia, vacaciones pagadas, etc. Los regalos al revés, los "difíciles", son aquellos denominados males. Por ejemplo: la quiebra, la miseria, la bancarrota, la infamia, la enfermedad, el dolor, la muerte, etc. Tanto los "de frente" como los "al revés" son regalos de Dios.

Los seres humanos generalmente amamos los regalos "de frente" porque son fáciles, y decimos que son buenos. Por lo regular rechazamos y detestamos los regalos "al revés", precisamente por ser difíciles y decimos que son malos. Pero son los regalos al revés los que más nos ayudan a progresar en el camino de Dios. ¿Quién ha mejorado en su calidad espiritual y humana con una vacación pagada en Acapulco? ¿Cuántos no han mejorado en su calidad más íntima al enfrentarse a los estragos ocasionados por una bancarrota, la muerte, una enfermedad? ¿Cuántos han logrado trepar a la punta de un palo engrasado? Lo áspero en cambio: ¿a cuántos no les ha facilitado subir a lo más alto del palo? *Per aspera ad astra.*

Por eso es lo que fama, poder, dinero, suelen servir de poco en el camino de Dios. Son grasa fácil, un respiro en nuestro existir, vienen de la compasión de Dios en una vida donde los regalos al revés son tantos y tan duros y difíciles...

Vivir la vida con valor, tener el valor de amar, amar la verdad. Eso es difícil.

El valor es una característica netamente humana. Es la característica de una persona que vive en verdad y amor.

Y ésos —el valor, el amor, la verdad— son precisamente, o debieran ser, los verdaderos orientadores de la vida. Si como resultado de su búsqueda se producen también fama, poder y dinero... pues bien.

Permitir que la fama, el poder y el dinero —lo fácil— sean los orientadores diarios de nuestra existencia, el centro de atracción y orientación de nuestra actividad diaria, eso es un error serio. Porque reducen la existencia a los objetivos de la persona. Porque hacen caso omiso de los objetivos del ser. Y porque nos alejan de nuestro verdadero objetivo en el plan del principio rector: el crecer del alma en amor y verdad para gloria y grandeza de Dios.

9

La importancia de borrar el nombre

¿De dónde provienen el miedo, la inseguridad, la ansiedad, el nerviosismo de nuestras vidas, todo aquello en lo cual nos pasamos casi la totalidad de nuestra existencia tratando de escapar?

Vienen... del error original. Y es que para muchos —para la gran mayoría— nuestra vida entera se convierte en un escape del desequilibrio causado por el error original.

Cuando la forma usurpa el sitio de la esencia, cuando se esclaviza al espíritu, la persona se vuelve farsante. Es un farsante que se cree capaz de enfrentarse por sí solo al mundo entero, a toda la creación... pero, como ésta no es su función —como no está capacitado para ella—, el mundo inevitablemente se le viene encima. Es para evitar que el mundo se le caiga encima y la aplaste que la persona suele iniciar su carrera por la vida. Y la vida, en vez del tranquilo peregrinar que pudiese ser, se convierte en un loco andar carente de sentido.

Se inicia el gran escape. La persona corre para no ser aplastada por el peso del mundo que cree llevar sobre sus hombros en su papel de mitológico Atlas... La persona emprende así un intento desesperado de fuga para no ser aplastada.

El miedo, la inseguridad, la ansiedad, la angustia, el nerviosismo en que vivimos, provienen de la desproporción entre la fuerza real de la persona y el peso de la existencia que —como Atlas— pretende llevar a sus espaldas.

Y es que, como la existencia parece girar en torno a uno... es casi inevitable que todos y cada uno de nosotros nos consideremos el centro de nuestra existencia, el centro de LA existencia. Que adoptemos el papel de Atlas.

Es entonces que se inicia el intento de fuga que caracteriza a tantas vidas humanas que transcurren en escape. Es un escape de la posición desequilibrada en la que la persona se ha colocado a sí misma.

Es un escape donde la usurpación de funciones ha causado la pérdida de orientación. No hay norte porque la vida se ha quedado con un solo polo...

Presa de pánico, la persona en fuga suele no saber realmente ni de dónde viene ni hacia dónde va.

La verdad se ha vuelto ficción... y el amor se ha vuelto deseo.

La pérdida de orientación lleva a la persona a querer escapar al desequilibrio, sin querer escapar a su causa: la usurpación de funciones. Es más: desconoce la causa. Ha usurpado a ciegas. Es una usurpación "original", automática.

En la situación que se desarrolla, la persona quiere escapar al peso que siente, pero quiere al mismo tiempo seguir teniendo al mundo en sus manos... No quiere abdicar a su papel de Hércules. Lucha por retenerlo. Es en ese instante en que se empieza a vivir en el reino del temor.

Cuando la persona trata de escapar a las consecuencias del desequilibrio sin renunciar a sus causas, acaba escapando no del desequilibrio, sino del espíritu cuyas funciones ha usurpado.

El alma entonces sale volando por los aires.

Lo que sigue a partir de ese instante es el escape de alguien que quiere desesperadamente orientarse, encontrar su ubicación correcta, equilibrarse ante la existencia... y no sabe cómo hacerlo... porque ha perdido la verdad y su motivación es el deseo.

El miedo, la angustia, el nerviosismo existencial, constituyen el trasfondo de TODAS las vidas que transcurren en escape y fuga. Proceden de la desubicación del ser y la persona tras el error original.

Es una equivocación "original" en cuya corrección transcurrirá el resto de nuestras vidas, casi siempre en un intento inútil de fortalecernos o de escapar de nosotros mismos.

La persona en estas condiciones quiere fortalecerse y escapar al peso del mundo sin renunciar al papel del que se ha apropiado, como eje de apoyo universal. Es una contradicción que se encuentra en la parte de la persona a la que llamamos el "consciente".

El consciente es como el barquero que quiere abandonar el bote sin soltar los remos. Como en la historia del Barquero de Caronte, el secreto está en no abandonar el bote, sino en saber pasar los remos a otro, en ceder el control. Para pasar el río de la muerte hay que ceder los remos.

No se puede volver a nacer sin que la persona renuncie al control de su barca, libere al espíritu y restituya al alma.

Pero el consciente en vez de renunciar a la posición adoptada prefiere renunciar al ser, cuya debilidad es causa aparente de sus problemas. Prefiere abandonar a su propio ser a abandonar su papel de eje universal.

Cree que puede hacer lo imposible: abandonar su ser. Es una creencia "lógica" porque cree que el ser le "pertenece" y que es dependiente de él. Para lograrlo, para efectuar este abandono, tiene que "inventar" un "nuevo ser", aceptable a sí mismo.

Ese "nuevo ser" es EL NOMBRE.

El consciente inventa un ser ficticio que no le dé los problemas que le genera su ser original. Se "divorcia" del ser y se casa con una ficción. Y en estas condiciones la vida entera se convierte en mentira. El consciente se presenta a sí mismo, o aspira a presentarse, como el líder capaz de desempeñar el rol autoimpuesto de centro y motor universal. Ese consciente lleva EL NOMBRE de uno, el nombre de la persona.

Empieza la inflación del ego. Nace la egolatría.

Para empezar, ¿qué es el consciente? Es la superficie de la persona. Todos cometemos el error, ineludible al principio, de creer que la superficie es dueña de la profundidad, que el consciente es el dueño del ser, que los remos son los dueños del barco.

El consciente es "la costra" que se produce en la superficie como producto de la interacción de la persona y la existencia. Nada más ni nada menos. Es los "dos" remos —consciente y "subconsciente"— que interactúan entre mar y bote.

Forma parte del consciente toda impresión marcada sobre la persona en el transcurso de la vida. Ése es el "contenido" de la conciencia. Toda impresión que no está en la conciencia se dice que está en la "subconciencia". Tanto conciencia como subconsciencia son dos capas muy delgadas en la superficie de la persona, como las capas de la piel. Están al exterior, definen la " forma" de la persona. Su esencia permanece abajo.

La superficie de la persona se llena de impresiones, rápidamente al principio de la vida por estar casi vacía. Con lentitud hacia el final, porque está repleta o casi repleta... El consciente y el "subconsciente" son una parte muy limitada de nosotros mismos, tan limitada como la superficie misma sobre el interior inmenso y desconocido de un gran planeta.

Es, como superficie, aquella parte que interacciona entre el individuo y el resto de la existencia. Es la articulación entre individuo y existencia. Tiende, por eso, a creerse eje de su existir. Y lo es, aunque limitadamente. Es eje de interacción entre individuo y existencia. Pero el consciente no se contenta con ello. Es una superficie que llega a creerse dueña de la profundidad debajo de ella y de la inmensidad que está por encima, del espíritu en la profundidad y del alma en la altura... y va más allá.

Poco a poco EL NOMBRE del consciente empieza a percibir al universo entero por fuera y al ser íntegro por dentro como si revoloteasen alrededor suyo.

La superficie en estas circunstancias se posesiona de todo, del "espacio aéreo" y del "subsuelo", del alma y del espíritu, y actúa como si fuese el centro de la existencia. Expulsa al alma, arrincona al ser y "crea" EL NOMBRE... a su imagen y semejanza.

Se adueña de todo su existir en EL NOMBRE DE SU PERSONA. Trata de imponer su nombre no sólo sobre el espíritu y sobre el alma, sino también sobre todo lo que lo rodea. El nombre procede entonces a crear su propia trinidad —persona, nombre, existencia—. Se coloca a sí mismo en el papel central de su propia trinidad. Se vuelve supremo. Se deifica.

Este nombre supremo "capaz" de enfrentarse a los desafíos de su desquiciado papel no es nada más ni nada menos que una ficción. El nombre es la ficción que se adueña de la mayoría de nuestras vidas. Crea su propia cosmología y se coloca en el centro de su propia desquiciada trinidad.

En la trinidad "persona-nombre-existencia", el nombre se constituye en principio rector, en el rey de la interacción persona-existencia. Sustituye al alma. En ese instante el individuo se vuelve, inevitablemente,ególatra.

La egolatría es resultado directo del error original. Es resultado de la sustitución de la verdad por la falsedad. El "nombre" suplanta al "padre", al principio rector. El nombre proclama secretamente su divinidad, como antes lo hicieran públicamente los Césares romanos.

Todos estamos regidos durante largos trechos de la vida por ese falso padre, el nombre. La mayoría no escapa nunca a su tiranía, más que en la muy tierna infancia. El nombre es un pequeño César.

Dar al César lo que es del César, y a Dios lo que es de Dios.

Todos, absolutamente todos, tenemos un César dentro. Lleva nuestro nombre. Y usurpa descaradamente los atributos y prerrogativas del principio rector. Se adjudica todo, o al menos trata de hacerlo. Es "al Cesar todo y a Dios nada".

El frente de lucha por el resurgir de la esencia y el renacer del alma en nosotros se reduce entonces a la derrota del nombre. Pero éste es muy poderoso. El consciente se ha adueñado de los instrumentos de conducción del individuo y no los va a dejar fácilmente.

LAS VIDAS QUE TRANSCURREN BAJO EL DOMINIO DEL NOMBRE SON INEVITABLEMENTE UNA MENTIRA.

Los individuos que las viven abandonan la realidad y se convierten en actores de una ficción donde el nombre dirige toda la acción en una atmósfera de temor.

La verdad es función de la esencia. El amor es función de la forma...

La presencia o ausencia de verdad y amor depositan valor en el alma... o temor en el nombre.

Al someter al espíritu y alejar al alma, el nombre disipa la atmósfera de amor y la sustituye por una de temor.

El consciente que rechaza la debilidad aparente de su ser y la "corrige" remplazando al ser por el nombre hace de su vida una ficción. La mentira cotidiana procede del nombre. Suyas son declaraciones tales como "yo soy muy macho" o "yo vengo de buena familia", "somos de la alta sociedad", etcétera.

En estas circunstancias, la vida, por más que sea aparentemente normal, se transforma en ficción. Es más, la "normalidad" es el patrón de conducta bajo el cual se modela el nombre. El nombre suele tener poquísima originalidad. Ha esclavizado a la parte creativa de su ser, a su esencia, a su espíritu. Carece de autenticidad. Por eso es muy peligroso el proceso de erradicación del nombre. Porque en ese proceso muchas veces se erradica también el patrón de conducta "normal". Y se suele caer en otra aberración, en la marginación del consciente o la renuncia a la responsabilidad.

Ésa es la aberración del alcohólico, la del drogadicto, la de muchas de las llamadas enfermedades mentales: la marginación del consciente, la renuncia o pérdida de la responsabilidad.

La responsabilidad es una función real del consciente.

De esa función real viene el "yo puedo": el nombre asume muchas más responsabilidades de las que le corresponde legítimamente al consciente real. Se infla al usurpar funciones. Se apropia de responsabilidades tan grandes que lo llevarán a una vida de tensión extrema y callada desesperación.

Por consiguiente, se da una manera común de escapar a las angustias provocadas por la tremenda carga asumida por el nombre: fugas de la conciencia, la renuncia a la responsabilidad... enfermedad mental, alcohol, drogas.

Hay una salida: la abdicación del nombre. La persona renuncia al nombre y reconecta al consciente con su espíritu, con su ser. Una vez hecho esto al consciente no le queda otra que continuar como Ulises, amarrado al palo para evitar el canto de las sirenas.

No se elimina al consciente, se le amarra. Eliminarlo sería el error de la inconciencia. Lo que se hace más bien es retornar a la situación del "César lo que es del César y a Dios lo que es de Dios"... Se deja al César, pero se le pone en su sitio, debidamente amarrado para empezar —mientras dure el canto de la sirena.

¿Cómo se hace? Viviendo en un apego estricto a la verdad y al amor. Empezando a hacerlo. Teniendo el valor de empezar. Un poquito de verdad... y llega un poquito de amor... y así se va haciendo. Así de simple.

No hay que eliminar la conciencia. Hay, sencillamente, que BORRAR EL NOMBRE... y se borra con amor y verdad.

La característica principal de la egolatría es una actitud en la que el consciente se ve a sí mismo como centro de la existencia, a mitad del mismo universo, eje y motor de la realidad.

En adelante, para corregir ese error, para erradicar los efectos del error original, para suprimir la egolatría y restituir la trinidad original, se tendrá que BORRAR EL NOMBRE. Ése es el significado de la imposición de un nuevo nombre en el bautizo.

Mientras tanto, impera el nombre. Y el miedo, el temor, la ansiedad, las angustias existenciales, son hijos de su reinado, del "nombre que puede". El nombre actúa no en el NOMBRE DEL PADRE, sino en el NOMBRE QUE PUEDE.

El miedo, el temor, la ansiedad, las angustias existenciales, son producto directo de la egolatría: son producto de la desubicación, de la debilidad, del desequilibrio, del estar mal parado, mal puesto en el universo.

Si la idolatría gira y se contorsiona en torno a lo falso, la egolatría es peor aún porque coloca el peso del universo sobre uno mismo... y acaba aplastándonos.

La egolatría es más común que la idolatría. Hasta el ateo, o quizás especialmente el ateo, acepta la egolatría.

El ególatra, como buen farsante, no tiene fuerzas para desempeñar el rol que cree suyo: centro y motor universal. El miedo, el temor, la angustia existencial, son producto de su debilidad ante esa tarea.

Miedo, temor, ansiedad, angustias existenciales, son la fatiga del que vive bajo la hegemonía del nombre. Se convierten en la atmósfera emocional en la que vive el individuo.

El desequilibrio existencial se traduce en debilidad. De esa debilidad nace la angustia existencial.

En esas condiciones, así no lo sepa el consciente —y generalmente no lo sabe—, la vida convertida en escape y fuga busca una cosa por encima de todas: el retorno al equilibrio, al paraíso perdido. El individuo en su vida de escape y fuga emprende la búsqueda del paraíso, la búsqueda del vellocino de oro que iniciaran hace largo tiempo Jasón y los Argonautas.

El retorno de ese viaje es peligroso. Se navega como en la Odisea, entre Scilla y Caribdis. Por allí están el alcoholismo, la drogadicción, la enfermedad mental, etc. Como Ulises, hay muchas veces que amarrarse al palo mayor para no escuchar el canto de las sirenas. Por allí están las Circes que transforman al hombre en cerdo y los Polifemos que con un solo ojo son capaces de ver la forma material, pero incapaces de detectar la esencia humana revestida del nombre del cordero.

Los peligros de la erradicación del nombre son grandes. En la caída del nombre, al romperse la normalidad que constituye su esqueleto externo, muchas veces suele también caer el ser. Es un camino que hay que recorrer con gran cuidado. Es el mismo hoy que el que tuviese que recorrer en las cavernas el hombre primitivo.

El desafío de la vida no ha cambiado:

Quitarle al nombre el manejo de las riendas de la vida para poder emprender los caminos del Padre. El nombre inevitablemente quiere ir por el camino que él mismo elige. Su autoadjudicación de tan tremenda responsabilidad lo enfermará. Su fuga en busca de equilibrio lo llevará a lo falso, al deseo y a la posesión.

El consciente es la superficie de la persona... y la persona es a su vez la superficie del ser. En su interior está el espíritu. Ambos acarrean al alma. Hay espíritus soberbios que se adueñan de la persona y acaban expulsando al alma. La vida en esas condiciones es similar a la vida bajo el imperio del nombre... sólo que como espíritus suelen todavía ser más huracanados. No es lo usual. Lo usual es el imperio del nombre. La respuesta en ambos casos es la misma: el retorno al equilibrio perdido, la restauración del alma.

La soberbia de espíritu es fatídica.

El imperio del nombre en el que éste maneja las riendas distorsiona al espíritu. Es como una carrera de caballos donde uno de ellos va montado encima del jinete. En la carrera de la vida, la persona es el caballo, el espíritu el jinete. Cuando el caballo se posesiona... se monta sobre el espíritu, tira por los aires al alma. Cuando el caballo se monta sobre el jinete... Allí es cuando nace el nombre. Es la persona montada sobre el espíritu, asumiendo lo que no le corresponde... Los pobres jinetes, cargando a los caballos, llegan a la meta con las orejas destrozadas, con las costillas rotas, etc. El caballo ganador tira las riendas, se desmonta y relincha ¡iiiiii!, declarándose ganador, mientras su pobre jinete se desangra en el suelo. Algo parecido sucede en la carrera de la vida, donde el nombre va montado encima del espíritu y el alma ha volado por los aires.

La "meta" en la carrera de la vida es la muerte. Los nombres llegan a la muerte pensando muchas veces que han ganado la carrera, o que la han "corrido bien". Sus espíritus, en cambio, suelen llegar a la muerte totalmente distorsionados por el manejo del caballo, distorsionados por la tiranía del nombre bajo el cual ha transcurrido su pasaje por la existencia, sin alma.

En estas circunstancias, el proceso de envejecer bajo el dominio del nombre se convierte en algo muy triste.

En el reciclaje de la muerte, la esencia se separa de la forma.

El nombre es íntegramente forma.

En la muerte ni la esencia puede acarrear la forma ni la forma puede, por más que pretenda hacerlo, acarrear la esencia.

En el reciclaje de la muerte, el alma, la que en vida tenía que llevarse a todos lados, es la única que puede acarrear... y los últimos serán los primeros.

El alma llevará en el amor la forma, y en la verdad la esencia.

Forma y esencia serán acarreadas por el alma en la medida en que hayan contribuido verdad y amor.

El espíritu que ha readquirido su lugar es un ESPÍRITU CONSCIENTE. Ha reafirmado su derecho a su porción de superficie bajo la luz de Dios. Obedece a las necesidades del alma. Tiene conexión directa a la superficie, al consciente, sin pretender poseerlo porque respeta también la función de la forma. Se distingue de la forma que controla al espíritu, el CONSCIENTE ESPIRITUAL, porque el espíritu consciente tiene verdad y amor, las características de la humildad, mientras que el consciente espiritual tiene la arrogancia del nombre. Para el espíritu consciente la responsabilidad del camino y su gloria no son suyas, sino del principio rector. Porque en el espíritu consciente los propósitos del alma rigen la vida.

El nombre tiene como señalizadores de su actuar a lo moral y lo inmoral. El juicio de la moralidad pertenece a la forma, al consciente. No puede haber moralidad inconsciente.

La esencia tiene como señalizadores de su actuar a lo correcto o incorrecto. El juicio de lo correcto o incorrecto le pertenece al espíritu. Algo es correcto o incorrecto sin relación con la conciencia o inconciencia con que se haga.

Los señalizadores del alma son el bien y el mal. Su juicio no le corresponde ni al consciente ni al espíritu, ni a la esencia ni a la forma. Es prerrogativa exclusiva del principio rector. Las cosas son buenas o malas sólo en su relación con el alma.

Por eso, los que se instituyen en jueces del bien y del mal usurpan el puesto del principio rector.

SE PUEDE SER JUEZ DE LO CORRECTO E INCORRECTO, DE LO APROPIADO O INAPROPIADO, DE LO MORAL O INMORAL, PERO NO DEL BIEN Y DEL MAL.

Dios es el único juez del bien y del mal.

Para el consciente posesionado del espíritu, para el nombre, la responsabilidad y la gloria de su actuación le pertenecen a él. Porque en el consciente espiritual el nombre bloquea todo y ha expulsado lo que no ha podido esclavizar en la barca de su vida. Perece al final porque no es más que una ficción y como tal no puede acarrear nada. Lo que creía de sí mismo acaba siendo más que arrogancia de la forma... fragmentos de la imaginación del nombre.

El espíritu consciente cobija al consciente sin dominarlo, y al fin de la carrera, cuando no hay más caballo, ambos son acarreados por el alma a la cual han servido de asiento.

Hay casos de soberbia espiritual, espíritus totalmente montados sobre la forma... pero son contados. El espíritu soberbio es capaz de derramar Mal con gran capital.

Existen muchísimos conscientes muy espirituales. Pero por más espirituales que sean, no pasan de ser nombres que aparentan ser dueños del espíritu, quizás porque han usurpado las características de espíritu.

Existen muchísimos menos espíritus conscientes. En el proceso de quitarse de encima al caballo, muchos lo pierden y acaban con caballos alcohólicos, enfermos, demasiado heridos para continuar. Por eso es importante que el caballo se desmonte voluntariamente. Que abdique antes de quedar muy herido o enfermo. La abdicación es necesaria porque el caballo, teniendo fuerza física, es muy difícil desmontarlo por un espíritu sin fuerza física.

Como el caballo no va a abdicar por sí solo, es importante que sea el ser íntegro el que dirija el proceso. Para esto muchas veces se llegará a los límites de la normalidad, a lugares que ni el nombre reconoce como suyos. El nombre tiene que darse cuenta de que está perdido. DE ALLÍ LOS PELIGROS. Cuando el caballo se pierde, está bien perdido. Por eso el método es simple. Verdad y Amor, poquito a poquito. Construirán uno encima del otro hasta que el caballo, solito, sea atraído por su aroma.

Y quedará para siempre atrás el aroma de la angustia.

Sólo cuando el nombre llega a convencerse —algo difícil— de su desubicación, muchas veces en los límites de la normalidad accede a dejarse conducir. Mejor es atraerlo con verdad y amor: ésa es LA manzana divina. Raro es el caballo que en medio de su paseo por la vida se baje y le diga al jinete... hey, déjame que te cargue. De allí que sean tan necesarios los regalos al revés que Dios nos da.

El proceso de envejecer del nombre es triste porque al ser solamente forma... el nombre tiene gran apego a la forma. Se aferra a todo lo que inevitablemente perderá. Se aferra a sí mismo. El nombre se aferra al nombre; se aferra a sus pertenencias; se aferra a su fama, a su posición, a su poder, etc. Se aferra a sus placeres, a su salud, a su cuerpo mismo. E inevitablemente pierde todo, incluso su cuerpo. El nombre pierde entonces... el nombre... cuando ya es demasiado tarde para lograr el equilibrio. El caballo se desmonta al fin de la carrera, cuando ya no importa...

En sus vanos intentos por mantenerlo todo, el nombre se petrifica, se vuelve una estatua de piedra. Mira hacia atrás, ve sus "logros" y no quiere perder nada. Pretende solidificarlo todo en el aquí y ahora. Ve, como la esposa de Lot, los placeres que deja atrás y no quiere o no puede alejarse de ellos. Adquiere rigidez. Pierde su flexibilidad. El ágil nombre joven se transforma en el rígido nombre viejo, tan cuidadoso de su propia dignidad y atributos.

Lo que debiese pasar es lo opuesto. El espíritu anquilosado y rígido dentro de la armazón de esqueleto externo impuesto por el nombre debe agilizarse hasta desechar ese esqueleto como si fuera la muda de piel de una serpiente. De la serpiente que pretende ser dueña del fruto del árbol del conocimiento del bien y del mal.

La tiranía del caballo es inevitable al principio por error original. No es inevitable al final. Su desaparición depende del renacer, de la abdicación del nombre.

La vida como adjetivo del verbo debe darse equilibradamente, respetando también a la forma. Porque la forma también es adjetivo del verbo.

El espíritu que por su libertad niega la forma... se pierde. Porque pierde la capacidad de amor en la vida. Pierde el equilibrio. Pierde la armonía. Pierde uno de los lados de Dios. Y la esencia de esa manera tampoco puede ser correcta. Al principio rector se le deben amor y verdad. Ambos.

10

Tiempo, ser y libertad

Definir la moralidad es función de la forma. La definición de lo correcto es función de la esencia.

El bien y el mal conciernen al alma y los define Dios.

La moralidad corresponde a la persona, la corrección al espíritu, al ser. El bien y el mal son jurisdicción del alma.

La moralidad tiene que ser consciente. La corrección puede ser inconsciente. Es posible hacer algo correctamente sin darse cuenta de ello. Pero no es posible que una acción inconsciente sea ni moral ni inmoral. Una persona inconsciente y desnuda sobre el suelo no es ni moral ni inmoral porque carece de conciencia.

Hay cosas que pueden ser morales pero incorrectas, o inmorales pero correctas. Robar es inmoral, pero si un bebé se está muriendo de hambre puede que sea correcto tomar lo ajeno para alimentarlo.

Cuando el nombre se convierte en juez supremo de la moralidad y la corrección, adultera tanto la moralidad como la corrección. Se vuelve como un poder judicial regido por el poder ejecutivo. El juicio se vuelve una farsa. Uno puede llegar a justificarlo todo.

El sentido de la corrección emana del interior del ser. El sentido de la moralidad viene de la forma de la acción, del exterior del ser.

La definición del bien y del mal no le pertenecen ni al consciente ni al espíritu. Es atributo exclusivo del principio rector. Puede ser que algo sea inmoral e incorrecto... pero bueno.

224

El caso de Judas Iscariote confunde a los jueces. ¿Fue Judas, el traidor, bueno o malo? Hay poca duda de que la traición sea inmoral e incorrecta. Pero... ¿fue la traición de Judas buena o mala?

Si consideramos que Judas cumplió con su destino histórico quizás veamos que no es tan fácil calificarlo de malo. Estaba profetizado desde tiempos remotos que uno de su linaje traicionaría a Jesús. Y el día anterior a su muerte, el mismo Jesús le dice a Judas: "Tú me traicionarás".

Si Judas no traiciona a Cristo entonces los profetas y el mismo Cristo hubiesen estado errados. Al traicionar a Cristo, Judas lo "ayudó" a cumplir con su papel de Mesías. Hizo lo que de él exigía el destino. De lo contrario, Jesús hubiese sido un farsante.

A Judas le tocó cumplir un destino histórico sumamente difícil. Y lo hizo a cabalidad. Si fue bueno o malo es algo que no nos corresponde a nosotros juzgar. Sólo el principio rector está facultado para ser juez del bien y del mal. Sólo Él tiene la visión panorámica del destino necesaria para regir sobre el bien y el mal.

El nombre, al usurpar la facultad de juzgar al bien y al mal, cae en la más grande de las arrogancias. Por eso se dice que la serpiente tentó a Eva con el fruto del árbol del conocimiento del bien y del mal. El que lo come se coloca del lado de la serpiente.

Es una usurpación excesivamente miope. No tiene en cuenta ni la geometría del tiempo ni el destino de la vida.

***

Todos los destinos están dados en la trinidad. Una trinidad en el círculo eterno.

Ser y estar dados en la trinidad del círculo eterno les da "solidez" a tiempo y destino. Tienen características de sólido geométrico.

El TIEMPO tiene la geometría de un sólido.

Su inicio, transcurso y fin son partes coexistentes de una medida dimensional. Tiene el VOLUMEN de la existencia.

Llamamos TIEMPO al envoltorio de la existencia, su superficie. La existencia tiene una geometría cuya capa exterior es definida por el tiempo. El tiempo es la superficie de la existencia y la existencia —como caracol— se desliza sobre ella.

Existe el "tiempo de cada uno".

El tiempo tiene la profundidad de la existencia. "Este" tiempo tiene la profundidad de "esta" existencia, de "este" universo.

Los destinos están encajonados en la existencia. Por ello son muy difíciles de cambiar. Cualquier cambio en el destino, en cualquier destino, implica "mover" toda la existencia.

Llamamos destino al "tiempo de cada uno", a su totalidad.

Los destinos son como la música grabada en un disco. Sólo se escucha el momento "iluminado"... aunque a veces percibimos ecos de lo que pasó y de lo que vendrá.

Los destinos y los tiempos están similarmente grabados en la eternidad. Pero sólo reconocemos el momento "iluminado". A eso le llamamos PRESENTE.

Cambiar cualquier momento en el destino es muy difícil porque implica "mover" toda la existencia que lo rodea. Todo tiene que encajar... y la música debe armonizar.

Hay dos tipos de libertad que caracterizan al tiempo y al destino.

Las libertades se dan en la profundidad de tiempo y destino. Son la LIBERTAD VITAL y la LIBERTAD EXISTENCIAL.

Hay una tercera libertad, LIBERTAD ABSOLUTA, que pertenece sólo a lo eterno.

No hay libertad absoluta en la existencia.

La libertad vital es de gran dimensión. Se ejerce desde afuera de la existencia, teniendo en cuenta la totalidad de una vida. No nos concierne. Nacemos a la vida con determinado grado de libertad vital. Es nuestro "campo de acción" en la vida, la cancha sobre la cual se jugará el partido. Judas siempre caerá en el mismo papel. Es el destino.

La libertad dentro del destino, la libertad existencial... ésa si nos concierne. Depende de aquello a lo que llamamos Karma. El destino está sujeto a modificación interior en virtud del Karma.

El Karma es un producto interior de la existencia.

El Karma es el peso de lo vivido, el efecto acumulativo de lo vivido. El Karma ejerce un efecto de lastre sobre la barca de la vida. Por eso es difícil el cambio en la vida, por eso es difícil cambiar de curso a un destino: es como mover un transatlántico... hay que mover todo el lastre de su pasado, de su barca... es más, como en el judo, hay que aprender necesariamente a usar ese peso, ese lastre, para efectuar el movimiento.

La libertad existencial se da respecto al elemento de incertidumbre que permea toda vida. La existencia es copartícipe de su existir, lo que le genera cierta responsabilidad. Como no puede haber responsabilidad sin libertad, se desprende que la existencia tiene una responsabilidad: allí está nuestra libertad existencial.

En el manejo de nuestro Karma está el ejercicio de la libertad existencial depositada sobre cada vida y capaz de modificar su destino. Puede llevar eventualmente a la liberación total, a la "ascensión al cielo". También puede llevar a la pérdida total de la libertad, a la petrificación, al "descenso al infierno".

A uno le llamamos el dominio del bien. Al otro le decimos el dominio del mal. Al fin de la vida se llega o al bien eterno o al mal eterno. Habrá triunfado EN NOSOTROS o el bien o el mal.

Adjetivaremos así con bien o con mal el reino del verbo.

La libertad existencial hace posible que coexistan la absoluta rigidez del pasado y la total permeabilidad del presente. Entre esa rigidez y esa permeabilidad se da nuestro espacio existencial de libertad. Es extremadamente fugaz y estrecho. Sólo mediante el manejo consumado del Karma se le puede aprovechar.

Julio César siempre será Julio César y no le quedará otra que cruzar el Rubicón. Judas será siempre Judas y "tendrá" que traicionar a Cristo. Éstos son, fueron y serán sus destinos... No pueden ser cambiados. Es la cancha en la que juegan el partido de sus vidas. La libertad vital con que se moldearon sus destinos lo determinó así.

La libertad existencial es una libertad de ciclo menor. Está en cómo se desempeñan en el juego, no en sus parámetros.

Cambiar los parámetros del juego es un ejercicio en libertad vital y sólo se da al inicio del juego, en el tiempo fuera del destino.

Entonces, al inicio del ciclo de nuestras vidas, sí se podrá "elegir" el destino... será el destino de "Julio César" o el destino de "Judas"... al que llegaron. En la elección del destino está el ejercicio de la libertad vital. No nos concierne porque se da fuera —y únicamente fuera— de nuestro ciclo de vida.

"Esta" vida pertenece a "esta" expresión del universo, una expresión tan sólida como un ladrillo. Tan sólida que en realidad no existe la casualidad. Algunos hechos nos "parecen" casuales sólo porque carecemos de la profundidad de visión necesaria para ver la inevitabilidad de la concadenación de hechos que constituyen la estructura de la existencia.

¿Tenemos libertad? Sí, existencial.

La vamos acumulando lentamente como granitos de arena depositados por todo el mar de la existencia en las playas de nuestras vidas... Nos la creamos poquito a poquito, muy pero muy laboriosamente. La hacemos... Viviendo en VERDAD Y AMOR.

La existencia transcurre hacia "su" equilibrio. La existencia transcurre en búsqueda del equilibrio perdido en la explosión inicial del ser.

La existencia transcurre en soledad. La soledad de lo vivo se llama individualidad. La individualidad sólo se sobrepasa mediante el amor y el amor no existe sin la verdad. En la búsqueda de ambos está la búsqueda de la famosa "fuente de la juventud".

La soledad existencial adquiere proporciones épicas bajo el dominio del nombre. Bajo el dominio del nombre la individualidad se convierte en soledad descarnada.

El temor a la soledad es el primer temor existencial de nuestra condición humana. Se da incluso antes de la ansiedad del consciente frente al desequilibrio causado por la inflación del nombre. Su impacto nos golpea con el primer respiro de recién nacido.

El aislamiento es condición *sine qua non* de la existencia.

El aislamiento de la vida es llamado individualidad. La verdad y el amor son lo único que nos permite sobrepasar las barreras de la individualidad.

El amor existe en la verdad. Es la fuerza que emana de la verdad. El amor es la fuerza de la verdad.

La verdad es el asiento del amor. La verdad le da su asiento al amor. Sin verdad el amor no tiene sitio.

La verdad no puede existir en el odio. El amor no puede existir en la mentira.

El amor y la verdad nos unen en la eternidad... (porque de tal manera amó Dios al mundo).

La unión sin amor o verdad, sobrepasar las barreras de la individualidad sin que medien el amor y la verdad, llevan a la soledad descarnada. La individualidad de la vida se transforma en soledad descarnada. La vida sin amor y verdad se vuelve totalmente solitaria.

Ésa es la tragedia de la vida del NOMBRE: que tiene una vida solitaria. El pobre nombre, tan cuidadoso de su supremacía en "su" vida, quiere desesperadamente relacionarse, pero no sabe cómo hacerlo. Le falta el primer ingrediente necesario para lograrlo: la verdad. Busca el amor, pero carece de verdad.

Dios es verdad pura. Dios es amor puro. Dios es el camino.

La verdad es. Todo el resto no es.

El principio rector mira a uno de sus lados y lo ve lleno de verdad. Voltea al otro y lo ve lleno de amor. Su lado creativo tiene verdad. Su lado receptivo tiene amor. De su mezcla por parte del principio rector nace la existencia.

En la eternidad, inicio y fin se unen. El transcurso llega a sus extremos direccionales y los cruza, se vuelve en dos direcciones, hacia "afuera" y hacia "adentro", se "expande" y se "contrae" al mismo tiempo.

En la eternidad todo OCURRE, nada TRANSCURRE. Eso es lo que hace posible la coexistencia de los opuestos en la eternidad: que se dan sin desarrollo, sin transcurso. Por eso sólo en la eternidad se da la comunión total.

La oposición direccional en la eternidad hace que ésta sea "puntual", que ocurra sin desarrollo, sin transcurso, sin espacio. La totalidad es "puntual". El encuentro de todas las fuerzas opuestas entre sí concentra a la totalidad en un punto de inexistencia. Ese punto es la eternidad, fuera de la existencia. En la eternidad hay oposición direccional total y lleva a la totalidad a la inexistencia.

La eternidad es una singularidad. Escapa a la existencia. Se llega a la eternidad por medio de una implosión. Se inicia la existencia mediante una explosión.

La inexistencia hace posible la oposición total, el balance perfecto sin dirección alguna.

La dirección implica un desbalance en uno de los lados de Dios. La existencia implica un desequilibrio. El desequilibrio de la existencia es "original".

El inicio del transcurso direccional es aquello a lo que le llamamos "la creación". La creación, "las" creaciones, son exhalaciones de la eternidad.

La creación es una fluctuación del ciclo de Dios. La fluctuación produce el inicio del transcurso direccional. Cuando algo adquiere dirección viene a la existencia.

Adquirir dirección es venir a la existencia. Es ser creado. La existencia "va", transcurre.

La existencia es una toma de dirección, es un adjetivo.

La dirección sólo es posible en aislamiento. La falta de aislamiento, el encuentro con la medida opuesta, ocasiona la pérdida de dirección y la interrupción del transcurso existencial.

El aislamiento de la vida es condición del existir, es la individualidad. Sin individualidad se interrumpe el transcurso de la vida.

En la condición humana, el principio rector se imprime a sí mismo. Estamos provistos de su verdad, de su amor y de su guía... Trinidad impresa.

La individualidad está dotada de amor, verdad y guía. El imperio del nombre sobre el ser excluye la guía, distorsiona la verdad y pierde el amor.

La verdad y el amor permiten saltar las barreras del aislamiento existencial sin destruirlas. Diluye la soledad existencial. Permiten ingresar tras otras individualidades sin causar destrucción. La fuerza de la verdad y el amor mantienen la individualidad excluyendo a la soledad. La falsedad y la falta de amor aniquilan la individualidad y la reducen a soledad existencial.

¿Transcurre la vida? Sí, en la existencia. Pero en la muerte encuentra su oposición direccional. Entra a la eternidad. La muerte es la pérdida de dirección.

El aislante existencial de la vida, la individualidad, queda disuelto en el ingreso a la eternidad. Pero la verdad y su amor sobrepasan aun esa barrera. La verdad y el amor son capaces de sobrepasar toda barrera sin destruirla. Porque la verdad y el amor SON. Nada más ES. Nada. Ni la muerte... ni la vida.

El verdadero crecimiento se da, no mediante la inflación del nombre, sino mediante el amor y la verdad. La vida en amor y verdad crece saludablemente tanto en sustancia como en forma.

LA VERDAD Y EL AMOR SON LO ÚNICO CAPAZ DE SOBREPASAR LA BARRERA DE LA ETERNIDAD.

Sólo el espíritu de amor y verdad es capaz de preservar la conciencia. Por eso se dice que sólo Dios lleva a la vida eterna. Porque toda verdad y todo amor vienen de Dios. Son sus lados, son el camino. El camino a la vida eterna. Sólo la verdad y el amor son capaces de elevar la conciencia a la eternidad. Porque en la eternidad se da la unión común de todos los seres. Sin la fuerza del amor y la verdad la conciencia SE DISUELVE en esa comunión. Sería una atmósfera "demasiado rica" para ella, para la conciencia convertida en nombre. La conciencia convertida en nombre cae. Es tan falsa que no puede elevarse. Es débil, nunca ha hecho nada: ha transcurrido su existencia sobre los hombros del espíritu, mandando al alma como si fuese una empleada doméstica. No puede "elevarse".

La verdad y el amor le dan la fuerza necesaria a la conciencia para ingresar a la común-unión. Se llega a una conciencia que sobrepasa la individualidad, a una conciencia sin divisiones, con comunión, sin nombre.

La verdad y el amor son los más fuertes de todos los atributos y fuerzas. Se revisten de la totalidad. La totalidad es una. La verdad es una y sólo una. Todo el resto es... falsedad. El amor todo lo abarca, todo lo puede.

La verdad es una.

Dios es sólo uno.

El resto es legión.

La verdad y el amor son los lados de Dios.

El poder de lo uno es el poder de la verdad y del amor. La verdad y el amor son lo único que vence toda barrera. Unen existencia y eternidad.

Todo lo vivo tiene un grado de individualidad. Lo vivo tiene límites definidos que no se pueden violar. Lo vivo necesita un elemento de aislamiento. Es la individualidad.

La individualidad humana es aislamiento dotado de capacidad de verdad y amor. La verdad y el amor aíslan y relacionan a la vez. Protegen sin rechazar. El amor es libre... pero no es independiente.

El consciente confunde la libertad con la independencia. El nombre, de manera especial, al creerse rey y señor se cree independiente. Profundiza así su soledad.

Lo vivo necesita aislamiento, pero entonces surge un error. El nombre, al asumir control, destruye las posibilidades de libertad del espíritu, el "resto" del ser.

La libertad es de la esencia. La independencia es de la forma.

El que se refugia en la independencia pierde la libertad.

El nombre, por su apego a la forma, por error original, busca más la independencia que la libertad.

La libertad es del espíritu. La independencia es de la forma.

El desequilibrio de la vida nos lleva, por error original, a alimentar la independencia, mas no la libertad. Solemos alimentar al caballo, mas no al espíritu.

Et veritas liberavit vos. La verdad os hará libres.

No se puede ser libre sin amor y verdad.

La independencia puede rodearse de mentira y odio.

En nuestra confusión existencial, al darle prioridad a la forma buscamos la independencia e ignoramos la libertad. Nuestra búsqueda de la independencia nos lleva a la "autosuficiencia". El nombre confunde la autosuficiencia con la libertad.

La búsqueda de la autosuficiencia nos lleva a crear tales ataduras, tales amarres y transacciones en la vida, que perdemos la libertad. Nos encerramos en independencia. Nos volvemos literalmente solos dentro de un mar de humanidad.

Lo extraño es que la mayoría vivimos sin libertad pero con independencia.

Una de las contradicciones de la vida es que se pueda matar la libertad de su esencia, mas no la independencia de su forma. Es porque la forma contiene la existencia. El aislante existencial está en la forma.

Al confundir libertad con independencia, la individualidad entra en soledad. Se pierde la libertad. Se petrifica el espíritu.

La independencia es un "yo hago lo que quiero". La libertad es un "yo hago lo que debo".

La libertad se sujeta a la verdad y al amor.

La independencia debe condicionarse a la libertad del espíritu. Entre las dos se crea y mantiene la individualidad. Cuando el consciente expande su reino y se impone sobre el espíritu se acaba la libertad. La individualidad se vuelve vacía. Se ha aniquilado la libertad interior. La individualidad se convierte en soledad.

Lo vivo es individual.

No existe una "piedra individual". No hay ni siquiera una molécula individual. Sí hay una célula individual. Un sapo sí es individual. Una "media piedra" sigue siendo piedra entera. Un "medio sapo" deja de ser sapo entero.

La soledad y la individualidad hacen posible la multiplicidad de la vida sin oposición direccional, sin que lo vivo y existente "entren" en eternidad.

Llamamos muerte a la oposición direccional de la vida.

Vida y muerte son "definiciones direccionales".

En la "vida" se necesita aislante direccional característico. La individualidad y la soledad están inexorablemente ligadas a la existencia.

En la "muerte" se pierde el aislante direccional. Al hacerlo, la vida pierde individualidad, se "desaísla". Caen todas las barreras de la forma. Al perderla, la vida "entra" en eternidad...

La eternidad existe en amor y verdad. Una conciencia sin amor y verdad "no ingresa".

La conciencia formal no ingresa. Por falsa.

Por eso es que la individualidad sin amor es tan dañina. Y toda dirección emprendida sin verdad es igualmente nefasta.

El nombre preside sobre una ficción. Para ser verdadero se tiene que borrar el nombre, restaurar el espíritu y servir al alma. Darle a Dios lo que es de Dios.

Borrar el nombre quiere decir aceptarse tal y como uno es, con todas sus virtudes y con todos sus defectos. Ése es el significado de humildad. Ésa es la primera verdad en el camino a Dios.

Esa primera verdad es el aceptarse a sí mismo, no el conocerse a sí mismo. El conocerse a sí mismo es otra arrogancia del nombre, proviene del exterior consciente. El aceptarse a sí mismo proviene de una actitud interior, de la esencia del ser, de su espíritu.

Cogito ergo sum es una arrogancia. Porque el pensar es del consciente. Es una arrogancia que el pensar justifique al ser. Es en todo caso el ser el que justifica el pensar, el que sostiene o debiese sostener y mantener al consciente. Y no todo es consciente.

El momento de aceptación del ser es el momento de la caída del nombre. Es un momento crítico en la vida. Es el momento del nacer de nuevo. Tiene una cronología invariable.

El nombre, el falso ser, nace como fruto del error original. El consciente, en su arrogancia y su pánico, decide escapar al ser (…demasiado humildito). Lo rechaza y lo suplanta con el nombre. La vida como ficción, la separación de la verdad, la pérdida del paraíso, es el resultado de ese instante.

Cuando por fin el ser logra volver SE PRODUCE EL RETORNO DEL HIJO PRÓDIGO, se regresa al camino de la verdad.

El hijo pródigo retorna cuando abandona su arrogancia, cuando cesa en su intento de ser INDEPENDIENTE, cuando deja de tratar de labrarse un nombre para sí mismo.

Se sale de la eternidad y se ingresa a la existencia con una explosión direccional. Como la dirección no puede ser sólo una, sino por lo menos dos ("una" dirección implica "otra" dirección, es la separación de acción y reacción), entonces se deduce que la creación se da en pareja. Dios crea su Adán pero también su Eva. Llamamos masculino a la acción, a lo creativo. Femenino a la reacción, a lo receptivo. "Primero" viene la acción. Dios crea "primero" a Adán, "después" a Eva. Creó este universo pero también ése. Están en los lados de Dios.

En la existencia llamamos libre al que puede actuar por sí mismo… La independencia es un "prejuicio" de la libertad existencial.

El amor une. Unión es lo contrario a independencia. Y sólo es posible mediante la verdad, que preserva. Preserva porque es.

Independencia y libertad se oponen en la existencia. Sólo pueden coexistir mediante el amor y la verdad.

En la independencia está el individualismo desorientado, uno que carece de sentido, uno que sale a "labrar el nombre propio".

La independencia "parece ser". Sólo es forma. La libertad es contenido. La libertad va hacia afuera, relaciona, comulga. La independencia va hacia adentro, aísla, separa, encierra.

Para muchos esta existencia es el despegue a la libertad absoluta.

Para éstos la vida es un tejido que lleva a la comunión total fuera de la existencia. La comunión es una característica de la libertad extraexistencial, donde la independencia no figura... donde se puede dar una libertad SIN independencia Y con conciencia... una conciencia SIN nombre, humilde.

La individualidad arrogante de la eternidad lleva mil nombres. Es la de Lucifer.

Fuera de la existencia, en la extraexistencialidad, según la literatura bíblica, el que declara su independencia es el demonio.

La existencia es una puntada en la costura que une los lados del principio rector...

Normalmente llamamos "vida" a un lado de las puntadas. A las que vienen al revés las llamamos "muerte". Unas vienen de frente, las otras al revés. Pero el hilo sigue.

Ambas, las puntadas de frente y las puntadas al revés, son regalos de Dios.

Diego Manrique, en las coplas a la muerte de su padre:

Recuerde el alma dormida,
Avive el seso y despierte
Contemplando
Como se pasa la vida,

236

Como se viene la muerte…
Tan callando.

Cada puntada tiene su tarea, encargada de unir puntos específicos del telar cósmico. Cada vida y cada existencia tienen su tarea en el diseño de Dios...

El cosmos es el conjunto de las telas de Dios. Es la unión de todas sus creaciones, siempre unidas por las puntadas divinas.

Eclesiastés, capítulo tres, versículo uno: para todo hay un tiempo, y todo propósito tiene su lugar bajo el cielo.

En la procesión de puntadas entre los principios, algunas se convertirán en piedras en el camino. También cumplen su función.

Per aspera ad astra. El camino a las estrellas es áspero. Está lleno de piedras en el camino. Ayudan a pisar. Subimos o descendemos por una escalera viva.

Sólo el andar ligero de carga permite llegar a la altura. El pobre espíritu que llegue a la montaña cargando al caballo... pierde el paso y se desbarranca.

Hasta donde sabemos nuestro ser es un hilo en la vida de este universo...

Los puntos de entrada y salida en los universos son tremendas implosiones y explosiones de ser.

Todos están enraizados en LA singularidad, el triángulo circular.

Dios respira interminablemente y con cada aliento produce una nueva creación. Descansa después de cada creación.

Esta obra se terminó de imprimir
en marzo de 2000, en
Editores Impresores Fernández
Retorno 7 de Sur 20, núm. 23
Col. Agricola Oriental
México, D.F.